S0-CCN-159

典藏中国

于观亭 主编

图解中国茶经

北京联合出版公司

图书在版编目（CIP）数据

图解中国茶经／于观亭主编 .—北京：北京联合出版公司，2012.11

（图说天下 . 典藏中国系列）

ISBN 978-7-5502-1110-0

Ⅰ . ①图… Ⅱ . ①于… Ⅲ . ①茶叶－文化－中国－古代② 《茶经》－通俗读物 Ⅳ . ① TS971－49

中国版本图书馆 CIP 数据核字（2012）第 259943 号

图解中国茶经

选题策划：

责任编辑：孙志文

特邀审校：游　雪

文图编辑：武玉蒙

美术编辑：李树香

封面设计：阮剑锋

版式设计：阮剑锋　孙阳阳

图片提供：Fotoe.com　Imaginechina

北京联合出版公司出版

（北京市西城区德外大街83号楼9层 100088）

北京京都六环印刷厂印刷　新华书店经销

字数180千字　787×1092毫米　1／16　12印张

2012年12月第1版　2012年12月第1次印刷

ISBN 978-7-5502-1110-0

定价：19.90元

版权所有，侵权必究

本书若有质量问题，请与本社图书销售中心联系调换。电话：010-82082775

大众的需求，尤其是精神需求，在现代这个信息发达、文化多元的时代，越来越挑剔。每个人都有自己的判断标准，并且按照这个标准去选择满足自己精神需求的文化食粮。尽管每个人的需求千差万别，但是仔细研究，依然可以找到共性的东西——经典和品位。经典是被大众公认的具有典范性、权威性的作品；品位反映着一个人的社会地位和自我形象，影响和指导着个人行为的方方面面。两者的结合，正是一切精神文化产品满足大众需求的精神旨归。

"图说天下·典藏中国"这个套系就是按照经典和品位的标准来打造的一套大众文化读物。先来说说经典，在这个套系中，所遴选的都是大众公认的能代表中国文化精髓的读物：《易经》、《论语》、《道德经》、《庄子》、《诗经》、《孙子兵法》、《三十六计》、《史记》、《资治通鉴》……反映着中华民族思想、个性、文化、历史发展的历程，也是中华民族绵延发展的精神支柱。

再说"品位"，这套"图说天下·典藏中国"系列，对"品位"的塑造，不仅从传统的注释、翻译和解读去体现，而且将其精神内涵和由之演绎出来的艺术形式相结合，即和流传于世的书法、绘画、雕塑、瓷玉杂玩等艺术品相结合，因为这些东西的精神实质就是从经典中获得的，是对经典的精神内涵的艺术化。加上现代的设计理念、印刷工艺，对经典进行"图解"和"图说"，营造一种开放性的阅读视野，满足大众高品位的阅读需求。

"图说天下·典藏中国"作为一套全新的关于中国文化的出版物，带给读者的享受应该是快乐的，应该是可以满足典藏需要、满足精神需求的大众读物。

茶源篇

一之源

茶者，南方之嘉木也。一尺、二尺乃至数十尺；其巴山峡川有两人合抱者，伐而掇之①。其树如瓜芦，叶如栀子，花如白蔷薇，实如栟榈②，蒂如丁香，根如胡桃。

其字，或从草，或从木，或草木并。其名，一曰茶，二曰槚③，三曰蔎④，四曰茗，五曰荈⑤。

其地，上者生烂石，中者生砾壤，下者生黄土。凡艺而不实⑥，植而罕茂。法如种瓜，三岁可采。野者上，园者次。阳崖阴林，紫者上，绿者次；笋者上，芽者次；叶卷上，叶舒次⑦。阴山坡谷者，不堪采掇，性凝滞，结瘕疾⑧。

注释

①伐而掇之：伐，砍下枝条。掇，拾拣。

②栟榈：棕树。《说文》中说："栟榈，棕也。"

③槚：苦茶。

④蔎：四川西南古代称茶为蔎。

⑤荈：古人称早采叫茶，晚采叫茗或叫荈，茗则成了今天茶的雅称。

⑥艺而不实：艺，这里指种植技术。

⑦叶卷上，叶舒次：叶片卷曲的为初生故其质量好，舒展平直的质量次。

⑧**性凝滞，结瘕疾**：凝滞，凝结不散的意思。瘕，腹中肿块。

茶的起源

　　茶，是中国南方的一种优良树木。高30～70厘米，有的甚至高达数十米；在巴山、峡川一带，就有这样高大的树木，树干粗到需两人合抱，只有将树枝砍下来才能采到树叶。这种树的形态类似瓜芦木，树叶就像栀子的叶，花朵像白色的蔷薇，种子像棕树的种子，花蒂好像丁香，根部好像胡桃。

　　"茶"字的字形，有的写成"草"字头（即"茶"），有的写成"木"字旁（即"搽"），有的"草"、"木"并重（写作"茶"）。茶的名称也有很多种："茶"、"槚"、"蔎"、"茗"、"荈"等。

　　种植茶树的环境，以岩石充分风化的土壤为最好，含有碎石子的砾壤次之，黄土为最差。通常情况下，没有精湛的栽植技术，茶树难以旺盛生长。其栽培方法类似于种瓜，三年即可采摘。野生茶树的品质要高于人工栽培的。在阳面的山坡上或林荫覆盖下生长的茶树，其芽叶呈紫红色的品质要高于呈绿色的；芽叶卷曲的品质要高于芽叶舒展的。相反，在阴面山坡或山谷中生长的茶树品质不好，不宜采摘，因其性凝结不散，如果饮用容易导致腹胀。

茶的起源

中国是茶的故乡，也是世界上最早种植和利用茶的国家，茶叶伴随着古老的中华民族走过了漫长的岁月。打开中国五千年的文明发展史，几乎从每一页中都可以嗅到茶的清香。茶不仅是一种饮品，更是一种博大精深的文化，茶文化是中国传统文化的重要组成部分，是中华文明长河中的一颗璀璨明珠。

唐代陆羽的《茶经》不仅系统地总结了种茶、制茶和饮茶的经验，而且将儒、佛、道三教思想与中国古典美学的精髓融入茶事中，把茶事活动升华为一种富于中华民族特色的高雅文化，即中国茶文化。

茶的由来

⊙美丽的传说

陆羽《茶经》里说："茶之为饮，发乎神农氏。"神农氏是传说中的炎帝，也是茶的发现者，更是传说中的发明药物来治疗疾病的人。

神农氏

神农氏，亦称神农，是传说中对中华民族具有巨大贡献的祖先。据《白虎通义·号》载，神农氏能够根据天时之宜，分地之利，制作出各种农具，教民耕作，使人民获得很多的好处，故号神农。他不但发明了农耕技术，教会人类农业生产，还发明了医药，教会人们吃药治病。中国古代第一部药学著作《神农本草经》就托名为神农氏所作，传说共记录了365种药名，多为神农氏亲自尝试了解得来。

神农氏为了辨别草物的药理作用，曾经亲口品尝百草。有一次他在野外考察休息时，用釜锅煮水，恰巧有几片叶子飘落进来，使锅里的水变成黄绿色。神农氏不以为意，喝了一点其中的汤水，却惊奇地发现，这黄绿色的水味道清香，竟是一味不可多得的药材。随着时间的推移，神农氏得出了这种植物具有解渴生津、提神醒脑和利尿解毒的作用。

至于"茶"的名字的来源，也和神农氏有关。传说中的神农氏，长着一个玻璃一样的透明的肚子，凡是吃进肚子里的食物都能够看得清清楚楚，因此能够知道这种食物对于身体的利弊，这也是他多次中毒不死的原因。他喝了黄绿色的水之后，看见这种水在肚子里流淌，所到之处，把肠胃擦洗得干干净净。于是他就把这种植物叫做"擦"，后来就转化为"茶"的发音。

⊙关于产地的争论

茶树原产于中国，这是举世公认的，但是在19世纪初，一位英国少校在印度发现了野生的大茶树，于是有人开始认为茶的发源地是印度而非中国，从而在国际学术界引发了一场争论。

1823年，英军少校布劳士（R.Brouce）在印度与缅甸的交界处发现了一株高约13米、直径约1米的野生古茶树；次年，他的哥哥在印度境内也发现了类似的野生茶树，于是他们据此断言，印度是茶的原产地。之后，很多西方学者都坚持这一观点。

1919年，荷兰学者斯图尔特（C.Stuart）认为，茶叶的原产地分为两种：大叶种原产自印度、缅甸和中国云南；小叶种则产自中国东南部。1935年，美国学者在其著作《茶叶全书》中又提出了茶叶原产地的"多元说"，认为茶叶原产自印度和中国，以及泰国、缅甸等国家和地区。除此以外，仍有很多国家的学者坚持着茶叶发源于中国的观点。

⊙最初的记载

在周武王伐商灭纣时，参加征战的巴蜀等南方小国部落就把茶作为贡品

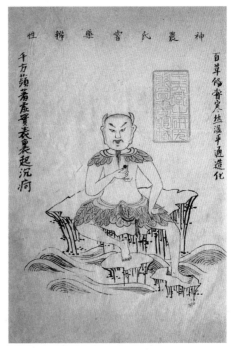

↑发明农业和医药的神农氏

敬献给周武王。晋常璩著的《华阳国志》中记载："周武王伐纣，实得巴蜀之师，……茶蜜……皆纳贡之。"武王伐纣的时间在公元前1066年前后，由此可见，中国有明确记录的茶事活动距今至少已有3000年的历史了。

现在所能够看见的文献资料里面，有着确切的茶的记载的，最早并且最可靠应该是汉代王褒所撰写的《僮约》。这篇文章写作的时间是汉宣帝神爵三年（前59），是茶学史上重要的文献。其中的"烹茶尽具"、"武阳买茶"，说明"茶"已经成为当时社会饮食的一项，并且是用来待客的贵重之物，饮茶已开始在中产阶层中流行。

⊙文物的明证

1980 年，贵州晴隆县发现 100 万年前的茶籽化石，从另一个角度为中国是茶树起源地的观点提供了明证。

近年来在浙江省上虞市出土的东汉时期的瓷器中，有壶、盏、杯、碗等器具，据考古学家判断，这些器物当属世界上最早的茶具。这说明东汉时期饮茶已渐渐普遍。湖北省江陵县的西汉古墓中还曾出土过一些作为陪葬品的茶叶；湖南省的长沙马王堆中也曾出土过一只刻有"茶"字的青瓷瓮，这被考古学家推定为是人们用来储存茶叶的器具。此外，在考古中还发现了陪葬清册中有"楇一笥"的文字，经查证"楇"即"槚"字，这表明在距今 2000 年前，皇族中已流行烹煮饮茶。

⊙中国野生茶树的发现

在中国古代的著作中，曾经有很多关于野生茶树的记载。如公元 6 世纪以前的《桐君录》中提到的"瓜芦木"即为茶树的大叶变种；唐代陆羽的《茶经》中，明确记载了"茶者，南方之嘉木也"；宋代沈括的《梦溪笔谈》中也有"建茶皆乔木"；明代《大理府志》载"点苍山……产茶树高一丈"等。

除了史书的记载，研究人员于 1939～1940 年，终于在中国贵州务川先后发现了十几株野生大茶树；1958 年，在云南发现了高约 10 米、树龄已

有 800 多年野生大茶树和在镇源 2700 年树龄的"茶树王"；1961 年更是发现高达 30 多米、树龄约 1700 年的野生茶树；同一时期，在广东、广西、四川、湖南等 10 个省区的 198 处发现野生大茶树，大茶树如此之多，分布如此广泛，堪称世界之最。

⊙中国是茶树的原产地

当然，发现野生茶树的地方，不一定就是茶树的原产地。中国是茶树的原产地的结论，是科学家们依据现

茶字趣解

几千年以来，茶已成为深得人们喜爱并且在日常生活中必不可少的饮品，因为古老的汉字具有繁复、发达、意义丰富等特点，古人往往将"茶"字趣解，赋予其美好吉祥的含义。其中有两种解字的方法流传最广：

第一种，以"茶"字象征长寿。"茶"字的草字头与"廿"相似；中间的"人"字与"八"相似；下边的"木"则可分解为"八"和"十"。将由"茶"字分解出来的"廿"加上"八"再加"八十"等于108。因此，古代文人便把108岁的老人称为"茶寿老人"。久而久之，"茶"字被用来代表长寿的意思。

第二种，以"茶"字倡导回归自然。"茶"字可分为草字头以及"人"和"木"三个部分，"人"在草之下，木之上，即为茶，爱茶人将其解为：人在草木间，孰能不饮茶，同时也有倡导人们回归自然的意味。

实，从各个方面分析考证得出的，已无争议。

根据植物学家和地质学家的分析，茶树起源至今已有6000万～7000万年的历史了。印度所处的喜马拉雅山南坡在那个时期还被深深地埋在海底，不可能生长茶树；而在中国西南地区发现的山茶属有100多种，可以推测这里是这一植物区系的起源中心。

此外，日本科学家在中国、泰国、缅甸、印度等地多次调查、研究发现，中国和印度茶种的细胞染色体数目相同，各地茶树没有种的变异，外形则具有连续性的变异，因此得出结论：茶的传播是以中国四川、云南为中心，向南推移，朝乔木化、大叶种发展；向北推移，朝灌木化、小叶种发展。

↑ "茶"体现了书法的飘逸，书法写出了茶的气韵。二者作为中国传统文化的重要内容，相辅相成，互增异彩。

"茶"字是由"荼"字直接演变而来的，在汉代的印章中，有的"荼"字已被减去一笔，成为"茶"字了。一直到了陆羽著《茶经》之后，"茶"的字形才进一步得到确立，一直沿用至今。

中国历史悠久，民族众多，各民族在语言和文字上异彩纷呈，对同一物品往往会有多种称呼，而同一称呼又有很多种写法。在古代史料中，有关茶的名称很多，在陆羽的《茶经·七之事》里面，收辑了大量的唐朝以前关于茶的记录。虽然其中称谓不一样，但都是指"茶"。茶、苦茶、茶茗、茶荈共32则，约占总茶事的70%。槚、蔎都是偶见，茗、荈比茶少见。其实，茗、荈是茶老叶，因此茶、茗、荈其实是一种叫法。从以上看来，"茶"是中唐以前对茶的最主要称谓，其他的都是别称。

茶名探源

⊙茶名历史演变

在古代汉语中，用来表示茶的文字有很多个。陆羽在《茶经·一之源》中说："其字，或从草，或从木，或草木并。其名，一曰茶，二曰槚，三曰蔎，四曰茗，五曰荈。"

但"茶"才是正名，"茶"字在中唐之前一般都写作"荼"。"荼"是一个多义字，其中有一项是表示茶叶。

历代茶事

茶树的起源至今已有6000万～7000万年历史了，茶被人类发现和利用，已有四五千年的历史。最初人们将茶树叶放在水中煮，饮茶汤作药用，食嫩叶作蔬菜，随着时间的推移，茶慢慢普及成为一种饮品。

在我国，茶文化的发展历程大体经过了"发乎于神农，闻于鲁周公，兴于唐而盛于宋"的过程。茶文化经历了秦汉的启蒙、魏晋南北朝的萌芽、唐代的确立、宋代的兴盛和明清的普及等各个阶段。

茶文化的发展历程不仅仅是一种饮食文化的形成过程，同时也折射出中华民族上下五千年积淀下来的精神特质与文化内涵。那么，就让我们来亲身体验一下茶叶历史的变迁吧。

秦汉茶事

⊙巴蜀茶风

巴蜀自古被人们称为孕育中国茶业与茶文化的摇篮，古代的巴蜀国也可以说是中国最早的产茶地区。明代杨慎的《郡国外夷考》中记载："《汉志》葭萌，蜀郡名，萌音芒。《方言》，蜀人谓茶曰葭萌，盖以茶氏郡也……"表明很早之前蜀人已用"茶"来为当地的部落和地域命名了。同时也反映出巴蜀地区在战国之前已经形成了具有一定规模的茶区。明末学者顾炎武在他的《日知录》中说："自秦人取蜀而后，始有茗饮之事。"也反映了茶饮是秦国统一巴蜀之后开始传播开来的。

西汉时，王褒的《僮约》中已有"烹茶尽具"以及"武阳买茶"的记载，可见在当时的巴蜀地区，饮茶已经很广泛，茶叶甚至成为一种商品。三国时期魏国的《广雅》一书记载："荆巴间采茶作饼，成以米膏出之……"反映出巴蜀地区独有的制茶方式和饮茶方法。

↑晋·青釉鸡首执壶

⊙茶区扩大

两汉茶文化的发展，首先表现在茶区的扩大上。马王堆出土文物表明，汉朝时期长江中游的荆楚之地已经出现了茶和饮茶习俗。资料显示荆楚茶业曾一度发展到今广东、湖南和江西接壤的茶陵。据《汉书·地理志》记载，西汉时已有的"茶陵"即今日的湖南省茶陵县。从明朝嘉庆年间的《茶陵州志》可以考证，茶陵境内的茶山，就是湖南省与江西省交界处的"景阳山"，那里"茶水源出此"且"林谷间多生产茶茗，故名"。

⊙煮饮法

煮茶法是指茶放在水中烹煮而饮。唐代以前没有制茶法，从魏晋南北朝一直到初唐，人们是将茶树的叶子采摘下来直接煮成羹汤来饮用，饮茶就像今天喝蔬茶汤，吴人称此为"茗粥"。

唐代中后期饮茶以陆羽式煎茶为主，但煮茶的习惯并没有完全摒弃，特别是在少数民族地区较为流行。唐代煮茶，往往加入盐、姜等各种佐料。

到了宋朝，北方少数民族地区在茶中放入盐、干酪和姜等一起煮，南方地区也仍然偶有煮茶的习俗。明清至今，煮茶法始终主要是在少数民族中流传使用。

六朝茶事

⊙重心东移

三国两晋时期，长江中下游地区因为便利的地理条件和较高的经济文化水平，茶业和茶文化也得到较大发展，该地区在中国茶文化传播中的地位，逐渐明显且重要起来，呈现出取代巴蜀之势。中国茶业的重心也逐渐由西向东转移，从而使得中国南方，特别是江东的茶文化和饮茶习俗有了较快发展。同一时期中国东南方的植茶，也逐渐由浙西扩展到现在的温州、宁波沿海一带。

⊙国内的传播

秦汉的统一打破了巴蜀地区的封闭，使茶叶和饮茶得以在之后的六朝时期向北、向东

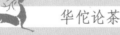

华佗论茶

东汉末年的名医华佗在《食论》中提到："苦茶久食，益意思。"是说："茶的味道苦涩，饮后能使人深思熟虑、开拓思维。"这是历史上第一次关于茶具有药用价值的记载。

华佗常年奔波在江淮一带采药，为民治病，积累了丰富的医疗经验。据说他累的时候，只要喝到一杯清茶，疲惫顿时消失，于是深深地体会出"苦茶久食，益意思"的见解，说明茶具有兴奋大脑、提神解乏的功效。

传播开来。到了魏晋南北朝时期，茶叶的种植和生产已经遍及四川、湖南、湖北、浙江、江苏、安徽、河南等省。

中国的第一大河——长江及其众多的支流如同一张辐射网，为茶叶的传播提供了便利的自然条件。有文字记载，三国吴赤乌元年（238），道士葛玄"植茶之圃已上华顶"，"华顶"即浙江天台山，可见饮茶之风已到江淮流域。

汉王亦曾在江苏宜兴的茗岭，招收学童，专门教习种茶的技艺。而长江流经湖北武汉，其支流进入陕西，茶也可能顺着这条支流传入了陕西一带的北方地区。

⊙从药用到饮用

秦汉时期，茶并非普通百姓的日常饮品，而是更多地以其药用效果出现在人们的生活中。据史料记载，到了三国时期，茶开始在王室贵族等上层社会流行。两晋和南北朝时期，茶作为药用还是饮用，因南北地域和习俗的不同，而经历了一段具有南北差异的过渡期。

由于茶叶原产自云南、四川等地，南方饮茶习俗较北方成熟略早。南下的中原贵族逐渐适应了南方的饮茶文化，喜欢上了饮茶。而东晋南渡之初，北伐志士刘琨在信中写道："前得安州干姜一斤，桂一斤，黄芩一斤，皆所须也。吾体中溃闷，常仰真茶，汝可置之。"可见，北方士族还将茶视为药。

▪何易于以死抗茶税▪

唐代饮茶之风兴盛，家家户户都离不开茶，于是唐德宗李适于建中四年（783）开始征收茶税，并建立茶税法，之后历朝历代在此基础上不断修订和完善。

茶税为国库带来了丰厚的财富，也为穷苦的百姓带来了困难。当时的益昌（今四川昭化）百姓就是如此，原本的生活已经穷困无比，缴纳茶税如同雪上加霜。爱民如子的县令何易于为了本县的百姓，不顾自己获罪，违拒了征茶税的诏令，毅然自焚，以自己的性命维护了百姓。何易于死后，他的事迹震撼了他的上级官吏，他违诏的罪行被隐瞒了起来，就此解了一方百姓的困苦。

⊙茶文化的萌芽

至魏晋时期，饮茶的方式逐渐进入烹煮的阶段，对烹煮的方法技巧也开始讲究起来。饮茶的形态除了在种类上呈现多样化的特点之外，还开始具有一定的仪式、礼数和规矩，人们日益自发自觉地遵守和规范起来。

在这一时期，茶也开始成为文人雅士吟咏、赞颂和抒情达意的对象。杜毓的《荈赋》、左思的《娇女诗》等从各个方面对种茶、煮茶、饮茶等茶事进行了描述。此外，茶作为一种健康的饮品，其清香雅致的特质被赋予高雅纯朴的精神力量，与儒、佛、道和神、鬼、怪等联系起来，开始进入宗教领域。

唐朝茶事

⊙比屋之饮

比屋之饮说的是唐朝时期饮茶已经十分普遍，特别是在唐都长安几乎走进家家户户。唐朝时期的经济发展日趋繁盛，文化昌明，社会处处生机，充满活力，这些有利条件为包括茶业在内的各行各业的发展提供了动力。茶圣陆羽就是生于这样一个繁荣的朝代，正如《茶经》中所说的"滂时浸俗，盛于国朝，两都并荆俞间，以为比屋之饮。"

唐朝中期以后，饮茶之风已经开始从皇宫、贵族、文人雅士阶层逐渐普及到社会中下阶层，特别是得到了普通百姓的欢迎。唐代开元年间（713～741），社会上茶道兴盛，饮茶之风大兴，有"穷日竟夜"、"遂成风俗"且"流于塞外"等记载。史料记载，文成公主入藏时（641）就曾把茶叶及茶籽随身带入吐蕃，饮茶使得以肉食为主的藏民获益良多。很快，饮茶习俗在西藏地区逐渐形成，发展到今日"宁可三日无粮，不可一日无茶"的程度。

⊙文成公主与茶

唐朝时文成公主远嫁吐蕃，促进了汉藏两个民族之间的友好和经济文化交流。由于文成公主爱饮茶，嫁妆里自然也少不了茶叶，茶文化也随之传入西

↓西藏大昭寺内以文成公主入藏为题材的壁画

藏，并在当时的贵族间盛行，因此开始了两地的茶马交易。

相传，藏区人民最爱喝的酥油茶也是文成公主创制的。当时，文成公主刚嫁到吐蕃，适应不了高原干冷的气候环境，对每餐肉多乳多的饮食也不习惯，常常感到油腻，消化不好。于是便想到把清爽的茶加进奶中饮用，果然好了很多，这便是奶茶的由来。她还尝试在煮茶时，加入酥油、盐、松子等，发展成了现在的酥油茶。文成公主还经常把茶赐予臣民，使得越来越多的藏民感受到茶水清幽的口感和醒脑提神的功效，对西藏茶叶的传播和发展做出了巨大的贡献。

⊙茶制

唐朝时期茶叶生产得到大发展，从事茶叶买卖的商人均可以迅速致富。但唐中期以后国家出现了财政危机，在这种形势下，唐王朝开始制定关于茶叶的经济法规，以增加财政收入，这些法规包括税茶、贡茶、榷茶、茶马互市等，

←唐·白釉高足盘及器皿

大多被历代沿袭下去并成为定制。

税茶：唐德宗建中元年（780），户部侍郎赵赞提出朝廷对茶征收10%的税。贞元九年（793），张滂据此创立了税茶法。

榷茶：榷的本义为独木桥，引申为专卖或垄断。唐武宗时期，茶叶开始"禁民私卖"，榷茶制度正式确立。

贡茶：贡茶不是商品，而是专供朝廷使用的茶叶。由于制作精致讲究，大大推进了种茶和制茶技术的进步。

⊙煎茶法

煎茶法是指陆羽在《茶经》中记载的饮茶方法。通常用饼茶，主要程序有备茶、备水、生火煮水、调盐、投茶、育华、分茶、饮茶、洁器9个步骤。煎茶法一出现就受到士大夫阶层、文人雅士和品茗爱好者的喜爱，特别是到了唐朝中后期流行起来。

煎饮法又被称为"陆氏煎茶法"。煎茶之道可以说是中国茶道形式的雏形，兴盛于唐朝、五代和两宋，历时约500年。

⊙茶禅一味

有句俗话说"吃茶是和尚家风"，僧侣与品茶之风有着极其密切的关系，茶道从一开始萌芽，就与佛教有着千丝万缕的联系，旧时

有"自古名寺出名茶"之说，也有说法称茶由野生茶树到人工培植也是始于僧人。

佛教的禅宗认为，参禅时需要有一颗平常心，无妄无欲。茶性平和，香气淡雅含蓄，细品慢啜，回味持久，让人内心宁静，归于平和，这些特性与参禅悟道所秉持的心态有异曲同工之妙。正如同古人讲"禅让僧人有一颗平常心，而茶给茶人以一颗平常心"。日常生活中最平凡不过的"茶"，与佛教中最重要的精神"悟"结合起来，作为禅宗的"悟道"方式，升华出"茶禅一味"的至高无上境界。

宋朝茶事

⊙遍布街巷

经历了唐朝茶业与茶文化启蒙发展阶段，宋朝成为历史上茶饮活动最活跃的时代，除了有内容丰富、技艺高超的"斗茶"、"分茶"、"绣茶"等以外，民间的饮茶方式更是丰富多彩。

民间饮茶最为典型的是在南宋时期的都城临安（今浙江杭州）。当时繁华的临安城，茶肆经营昼夜不绝，无论烈日当头还是隆冬腊月，时时有人来提壶买茶。茶肆里面张挂着名人书画，装饰古朴，四季有鲜花装点，前来饮茶的人们络绎不绝，往来如织。

临安的茶肆通常分成很多种，来

↑元·钱选·卢仝烹茶图

适应不同层次的消费者。有一些茶肆，多是士大夫等人与朋友相聚的场所，人们在此不但品茗倾谈，甚至开展体育活动，如蹴球茶坊等。还有作为品茗场所的茶楼、茶馆，主要顾客多为文雅和有学识之人，他们在此把玩乐器，学习曲目弹奏等，当时人们把这种茶肆称为"挂牌儿"。

还有一些茶馆并非以茶为营生，只是挂名而已，人们在此进行买卖交易，谈事论情，饮酒甚至赌博，成为娱乐场所。

⊙制茶法

从朝廷到民间，宋代对茶的品质要求都更为讲究。宋朝历任皇帝几乎皆嗜饮茶，特别是宋徽宗赵佶，虽然不事政务，却在艺术上有很高的成就，对茶也有着深刻的研究，并亲自著成《大观茶论》辑录茶事。他曾不惜重金派人四处寻找新的茶叶品种，大大促进了团茶种类的增多和制茶技术更大的进展。据《宣和北苑贡茶录》记载，贡茶在宋朝极盛时，有40多种。

团茶制法比唐朝陆羽在《茶经》中所载的方法更为精细科学，茶的品质也得到提高。宋代的团茶制法主要有采茶、拣芽、蒸茶、榨茶、研茶、造茶、过黄7个步骤。

宋朝末年开始出现散茶制法；到元朝时团茶已不再流行，散茶则大为发展，"蒸青法"逐渐改为"炒青法"；到了明代，炒青散茶则开始大行其道。

⊙点茶法

宋朝时期，饮茶方式逐渐发生了新的变化，煎茶法由于烦琐复杂而开始走下坡路，新兴的点茶法成为时尚。蔡襄编著的《茶录》为点茶茶艺奠定了基础。点茶法主要包括备器、选水、取火、候汤和习茶5个环节。在点茶时先将饼茶碾成末，放在碗中待用；烧水时要注意调整炭火，调炭时有"三炭"之说，即底火、初炭（第一次添炭）和后炭（第二次添炭）；待水初沸时立即离火，冲点碗中的茶末，同时搅拌均匀，茶末上浮，形成粥面，即可饮用。

点茶茶艺于唐朝末期出现，到北宋时期逐渐发展成熟，北宋后期至明朝前期达到鼎盛，明朝后期走向衰亡，在茶史中持续存在了600余年。

←斗茶图

⊙斗茶的兴起

宋朝时期，随着饮茶的普及，关于茶的活动也日渐丰富起来，民间开始兴起了斗茶的风气。"斗茶"也称"茗战"，用来决定胜负的标准共有两条，一是汤色，二是汤花。

所谓的"汤色"就是指茶汤的颜色，有一个固定的标准。茶汤的颜色以纯白色为最上，其他的颜色则不正。茶汤纯白色，说明茶叶的采摘、加工，都是恰到好处。如果颜色偏青，说明在加工的时候火候不足；相反，如果偏灰，就是过火。如果偏黄，那么则是茶叶的采制出了问题。

所谓的"汤花"是指茶汤倒进茶盏之中在表面上泛起的泡沫。汤花讲究匀称，在汤花散尽之后，水痕出现得越晚越好。要想在斗茶中获胜，就必须把茶末研磨得非常细腻，同时在注水点汤的时候，力道要把握好，不温不火。汤花的最佳效果是，汤花出现之后，久久不散，而且汤花紧紧咬住茶盏的边缘，但是绝不流溢，这就叫做"咬盏"。如果汤花很快散开，或者流溢出来，就会落败。

⊙分茶艺术

分茶是饮用末茶时饮茶人所从事的一种技能性游戏，也叫做"茶百戏"。分茶技艺高超的人可以利用茶碗中的水脉，创造许多绮丽美妙、富于变化

↑宋·煮茶画像砖（拓片）

的图案，从图案的变化中得到赏心悦目的乐趣。分茶可以寄托文人的闲情雅兴，培养艺术创作的灵感，体现出人格的品位，是一种精致的技巧。

酷爱分茶的蔡襄在《茶录》中提出，要点一盏好茶，首先要严格地挑选茶叶。茶以青白色为好，黄白色为差；以自然芬芳者为好，添加香料者为差。其次为了防止团茶在存放时吸潮而影响品质，在饮用前要进行炙烤以激发其香气，碾罗是冲泡末茶的特殊要求，操作时也要讲究技巧，先用纸将茶裹紧捣碎，然后熟碾并细细筛滤。最后是点汤，要注意控制

↑明·无款·皇都积盛图

茶汤与茶末的比例，以及投茶与注水的先后顺序，烧水的温度、茶具的质地颜色以及手法等也有诸多讲究和技巧，如此才能分出一盏美茶。

⊙宫廷绣茶

宋朝茶文化的发展在很大程度上与宫廷风俗的影响密不可分。因此无论民间饮茶的文化特色还是形式内容，都带有明显的贵族色彩。茶文化在这种高雅的文化范畴内，得到了丰富全面的发展。

宋代贡茶是自蔡襄任福建转运使后，制作变得更加精良细致，品质上有了更进一步的发展，并由蔡襄亲自研制出了小龙凤团茶。欧阳修评论这种茶为"价值黄金二两"，但是金可有，茶却不可多得。宋仁宗就格外偏爱饮用这种小龙凤团茶，对其倍加珍惜，即使是居功至伟的近臣，也不随便赐赠，只有在每年的南郊大礼祭天地时，枢密院的列位大臣才有幸共同分到一小团。连大臣自己往往都舍不得饮用，用它来孝敬父母或转赠好友。这种茶在赏赐给大臣之前，要先由宫女用金箔剪成龙凤和花草图案贴在上面，因此叫做绣茶。"绣茶"是皇廷内的秘玩，由专人掌握此种技术，宫外的人难得一见。

明朝茶事

⊙由繁及简

明代是中国茶业与饮茶方式发生重要变革的发展阶段。为去奢靡之风、减轻百姓负担，明太祖朱元璋下令茶制改革，用散茶代替饼茶进贡。伴随着茶叶加工方法的简化，茶的品饮方式也发生了改变，逐渐趋于简化。

真正开从简清饮之风的是朱元璋的第十七子朱权。朱权大胆改革传统饮茶的烦琐程序，并著有《茶谱》一书，书中对茶品、茶具、饮茶方式等茶事活动涉及的各个方面都提出了明确具体的要求，特别对于茶提出讲求"自然本性"和"真味"，对于茶具反对繁复华丽和

"雕镂藻饰"，为形成一套从简行事的烹饮方法打下了坚实的基础。

⊙品类增多

随着明朝制茶技术的改进，各个茶区出产的名茶品类也日见繁多。宋朝时期闻名天下的散茶寥寥无几，有史料记载的只有数种。但到了明朝，仅黄一正编写的《事物绀珠》一书中收录的名茶就有近百种之多，且绝大多数属于散茶。

在明清时期，茶叶的形式得到了真正的飞跃发展，黑茶、青茶、红茶、花茶各种茶类相继出现和扩大。青茶，即乌龙茶，是明清时期由福建首先制作出来的一种半发酵茶类。红茶最早见之于明朝刘基编写的《多能鄙事》一书。清朝时，随着茶叶贸易的发展，红茶从

↑明·龙泉印花香炉

福建很快传播到云南、四川、湖南、湖北、江西、浙江、安徽等省。此外，在各地茶区，还出现了工夫小种、紫毫、白毫、漳芽、选芽、清香和兰香等许多名优茶品，极大地丰富了茶叶种类，推动了茶业的发展。

⊙泡茶法

泡茶法是将茶放在茶壶或茶盏之中，以沸水冲泡后直接饮用的便捷方法。唐及五代时期的饮茶方式都以煎茶法为主，宋元时期以点茶法为主，泡茶法虽然在唐代时已经出现，但是始终没有传播开来，直到明清时期才开始流行，并逐渐取代煎茶法和点茶法成为主流。

明清的泡茶法更普遍的是用壶冲泡，即先置茶于茶壶中冲泡，然后再分到茶杯中饮用。据古代茶书的记载，壶泡法有一套完整的程序，主要包括备器、择水、取火、候汤、投茶、冲泡、酾茶、品茶等。泡茶之道孕育于元末明初时

↑明·青花缠枝番莲纹碗

期，正式形成于明朝后期，到清中期之前发展到鼎盛阶段，并流传至今。今日流行于福建、两广、台湾等地区的"功夫茶"即是以明清的壶泡法为基础发展起来的。

⊙ 焚香伴茗

明代有很多文人雅士为得到品茗佳境，开创了"焚香伴茗"的品茗方式。这是指品茶时在茶室内焚上淡雅的沉香，在清香袅袅之中，烘托出亦真亦幻的朦胧之感，顿时便可抛却缠身俗务。沉香与茶香之气交织糅合在一起，给人以轻松、愉悦、舒适、安详的享受。

明朝文震亨编写的《长物志》第十二卷中有"香茗"一节，便详细记载了明代茶人焚香伴饮的情趣六种：一是隐士谈玄悟道时，焚香品茗能清心悦神醒脑；二是晨钟暮鼓令人伤感、兴致索然时，焚香品茗可使人心胸豁达，舒抑解郁；三是读书写字、吟诗咏文困倦之时，焚香品茗可去困解乏；四是亲人团聚，儿女情长，焚香品茗有助于享受天伦之乐；五是雨天闭门在家，焚香品茗能解慰寂寥；六是宿醉或熬夜之后，焚香品茗能使身轻舒爽，润肺甘喉。

清朝茶事

⊙ 茶叶的生产

据古籍史料显示，明清时期在前朝的基础上出现了很多新的茶树种植和茶叶生产加工技术，对于茶树生长规律和特性的掌握也有很大进步。如明末学者方以智的百科式著作《物理小识》中就有记载"种以多子，稍长即移"，说明在明朝，除了种子直播以外，有的茶园还采用了育苗移植的方法。到清康熙年间一位叫做李来章的知县编写的《连阳八排风土记》，已有对于茶树插枝繁殖技术的记载。此外，在清朝的福建北部一带，茶农们对一些珍稀名贵的优良茶树品种还开始采用了压条繁殖的方法。在茶园管理方面，明清时期在种植上有了关于灌溉施肥等更加精细的要求，在抑制杂草生长和茶树与其他植物间种方面，也有精辟见解。此外，明清时期在茶叶采摘技术方面较前朝也有较大的提高和发展。

⊙ 从调饮到清饮

调饮法与清饮法有着显著的区别，各有优势。从饮茶历史总的来看，其发展的时间顺序是由调饮法逐渐过渡到清饮法。在饮茶之风兴盛的唐代，人们在饮茶时普遍以佐料调味；到了现代，只有部分边疆少数民族地区还继续沿用调饮的方式，而清饮法早已得到普及。

所谓"调饮法"，即在茶汤中加入糖或盐等调味品以及牛奶、蜂蜜、果酱、干果等配料，调和后一同饮用。调饮法因地区和民族的不同而呈现出复杂多样的特点，其中最具代表性的咸味调饮法有西藏的酥油茶和内蒙古、新疆的奶茶等；甜味调饮法有宁夏的"三泡台"；调味既可咸也可甜的饮茶法有居住在四川、云南一带山区少数民族的擂茶、打油茶等。而"清饮法"就是不加入任何调料，单纯的茶汤，来品尝真正的茶味。时至今日，汉族人民仍多采用此种饮法。

⊙普洱贡茶

普洱茶是茶中珍品，不但深受民间百姓的喜爱，还上贡朝廷，供皇族大臣们品饮，甚至作为珍贵礼品馈赠他国。普洱茶茶味浓醇、性温味香，具有助消化、消积去腻等诸多利于人体的保健作用，这些特点正适合游牧出身、以肉食为主的清廷满族皇亲国戚的需要。清朝政府规定每年茶农需上缴普洱贡茶3.3万千克，由地方官吏负责组织运送。在进贡清宫的普洱茶中，主要有来自云南西双版纳原始森林的大叶种极品"金瓜贡茶"，还有其他各地进贡的小叶种茶，其中的"女儿茶"、团茶、茶膏等，深得王公贵族的钟爱。一时，宫中饮普洱茶之风成为时尚，既有清饮，也有用来熬煮奶茶。朝廷之风得到民间的大力效仿，普洱茶在清朝声名大振，流传甚广。

⊙茶馆兴盛

明清之际，茶馆开始兴盛，特别是清代，各种茶馆、茶肆、茶档作为百姓生活重要的活动场所，如雨后春笋般迅速发展起来。人们在此既可饮茶，也

可会友，书生吟诗作对，商人高谈阔论。据史料记载，到清朝末期，仅皇都北京城有规模的茶馆就达数十家，上海更多达66家。

清朝的茶馆依据经营内容和功能特色的不同，主要有以下几种：品茗饮茶之地，饮茶兼饮食之地，还有最富特色的听书赏戏之地。除此之外，在江南乡镇，有的茶馆还兼作赌博场所，有时也充当排解百姓纠纷的仲裁场所。

↑清代产茶图

茶类篇

二之具

　　籯^①，一曰篮，一曰笼，一曰筥^②。以竹织之，受五升，或一斗、二斗、三斗者，茶人负以采茶也。

　　灶，无用突^③者。

　　釜，用唇口者。

　　甑^④，或木或瓦，匪腰而泥。篮以箄之，篾以系之^⑤。始其蒸也，入乎箄；既其熟也，出乎箄。釜涸，注于甑中。又以榖木枝三亚者制之，散所蒸芽笋并叶，畏流其膏。

　　杵臼，一曰碓，惟恒用者为佳。

　　规，一曰模，一曰棬。以铁制之，或圆、或方、或花。

　　承，一曰台，一曰砧。以石为之。不然，以槐、桑木半埋地中，遣无所摇动。

　　襜^⑥，一曰衣。以油绢或雨衫单服败者为之。以襜置承上，又以规置襜上，以造茶也。茶成，举而易之。

　　芘莉^⑦，一曰籯子，一曰筹筤^⑧，以二小竹，长三尺，躯二尺五寸，柄五寸。以篾织方眼，如圃人土箩，阔二尺，以列茶也。

　　棨^⑨，一曰锥刀。柄以坚木为之。用穿茶也。

　　朴，一曰鞭。以竹为之。穿茶以解茶也。

注释

①籯：用竹子制的箱、笼、篮子等盛物器具。

②筥：古代圆形的盛物竹器。

③突：烟囱，和成语中的"曲突徙薪"的"突"一个意思。

④甑：代的蒸炊器，类似今蒸笼。

⑤篮以算之，篾以系之：算，蒸笼中的竹屉。篾，长条细薄的竹片。

⑥襜：指系在衣服前面的围裙。

⑦芘莉：用竹子制成的盘子类器具。

⑧筹筤：笼、盘一类的盛物器具。

⑨棨：穿茶饼用的锥刀。

茶的采制工具

籯：也叫篮、笼或筥。用竹子编织而成，容积通常为五升，也有一斗、二斗或三斗的，茶农采茶时背在肩上。

甑：用木头或陶土制成，腰部用泥封住的容器。内有蒸屉，并用细竹片系牢。开始蒸的时候，将芽叶放在蒸屉里；蒸熟后即可取出。蒸干时可往甑中加水。然后用分叉的枝条翻动摊凉蒸好的芽叶，以防止茶汁的流失。

杵臼：又叫碓，日常使用的为好。

规：又叫模或棬。通常用铁打制而成，是压制茶饼的模型。

承：又叫台或砧，用石料制成。也可将槐木或桑木埋进土中，露出半截，使其牢固而不易晃动即可。

襜：又叫衣。通常用油绢或穿坏了的雨衣或单衣等做成。将"襜"放在"承"上，再将"规"放置在"襜"上，即可用来压制茶饼了。

芘莉：又叫做籯子或筹筤，用两根长约1米的竹竿制成，身长约85厘米，柄长约15厘米。中间用篾编织成类似筛箩的形状，约70厘米见方，用来铺放茶叶。

棨：又叫锥刀。手柄用坚硬的木材制成，用来给茶饼穿洞。

朴：又叫鞭。用竹子编成，用来把茶饼串起来。

茶的分类

中国作为茶叶的故乡，种茶、品茶历史悠久，产茶量极为丰富。因疆土广袤，各地环境气候不尽相同，茶的种类繁多，千差万别。茶树的生长习性各式各样，摘下来的鲜茶经过不同的加工方式就形成不同的茶类和品种。茶的初制基本分类为绿、红、黄、黑、青、白六大类。不同类型的茶从外形、色泽、香气、滋味、功效方面相比较又各有千秋。

⊙按加工方法分类

茶的分类方法目前使用最为广泛的方法之一是根据制造茶叶时的方法工艺不同来划分。这主要是指在制茶过程中的发酵程度。

绿茶，在制造过程中没有发酵工序，茶树的鲜叶采摘后经过高温杀青，制止氧化酶活性，然后经过揉捻、干燥制成。成品干茶保持了鲜叶内的天然物质成分，茶汤青翠碧绿。

青茶（乌龙茶）、白茶、黄茶、黑茶等为部分发酵茶，制造时较之绿茶多了萎凋和发酵的步骤，鲜叶中一部分天然成分会因酶和酵素作用而发生变化，产生特殊的香气及滋味，冲泡后的茶汤色泽呈金黄色或琥珀色。

红茶为全发酵茶，制作时萎凋的程度最高、最完全，鲜茶内原有的一些多酚类化合物氧化聚合生成茶黄质和茶红质等有色物质。其干茶色泽和冲泡的茶汤以红黄色为主调。

⊙按萎凋与不萎凋分类

茶鲜叶采摘下来后，首先要放在空气中，蒸发掉一部分的水分，这个过程称为萎凋。按茶叶制作过程中是否需要进行萎凋，茶的种类可分为不萎凋茶和萎凋茶。

不萎凋茶主要是绿茶、黄茶、黑茶，萎凋茶包括红茶、青茶、白茶。

"萎凋"就是让新鲜的茶青丧失一部分水分，水分丧失的过程中，叶孔充分地打开，空气中的氧分趁机进入到叶孔之中，在一定的温度条件下，氧与叶细胞中的成分发生化学反应。

⊙按季节分类

中国绝大部分产茶地区，茶叶的

生长和采制是分季节性的。按照季节变化，可将茶叶划分为春、夏、秋、冬四季茶。

春茶为3月上旬至5月上旬之间采制的茶，采摘期20～40天，随各地气候而异。由于春季气温、降雨量适中，茶叶鲜嫩，香气馥郁。

夏茶在夏至前后采摘，一般为5月中下旬到6月，是春茶采摘一段时间后所新发的茶叶。夏茶的新梢生长迅速，不过很容易老化。

秋茶为7月后采摘的茶叶。秋高气爽，有利于茶叶芳香物质的合成与积累，所以秋茶具有季节性高香。

冬茶为秋分之后所采制之茶，因气候寒冷，中国大部分地区均不产冬茶。只有海南、福建和台湾因气候较为温暖，尚有出产。

⊙按生长环境分类

根据茶树生长的地理条件，茶叶可分为平地茶、高山茶和有机茶几个类型，品质也有所不同。平地茶相比起来比较普通，茶树的生长比较迅速，但是也使得茶叶较小，叶片单薄；加工之后的茶叶则条索轻细，香味比较淡，回味短。

茶树一向喜温湿、喜阴，而海拔比较高的山地正好满足了这样的条件，也就是平常所说的"高山出好茶"。温润的气温，丰沛的降水量，浓郁的湿度，以及略带酸性的土壤，促使高山茶芽肥叶壮，色绿茸多。

有机茶是近期以来出现的一个茶叶的新品类，或者说是一个茶叶的新的鉴定标准。有机茶是指在完全没有污染的环境里，种植生长出来的茶芽，并在严格的清洁生产体系里面生产加工。

⊙按茶的品质特点分类

根据加工方法以及品质特色的不同，茶可分为6大类，即绿茶、红茶、青茶、黄茶、白茶和黑茶，这也是传统茶文化中最常使用和最为人们所熟知的分类方法。

绿茶的制作没有经过发酵，较多地保留了鲜叶内的天然物质，因此成品茶的色泽、冲泡后的茶汤和叶底均以绿色为主调。同时，由于营养物质损失少，绿茶也被视为更益于人体健康的茶。绿茶是中国种类最多、产量最大的茶类，此外，绿茶也是生产花茶的主要原料。

红茶，属于发酵茶，因其干茶色泽、冲泡后的茶汤和叶底以红色为主调而得名。红茶的香气最为浓郁高长，滋味香甜醇和，饮用方式多样，是全世界饮用国家和人数最多的茶类。

青茶（乌龙茶），属于部分发酵茶，融合绿茶和红茶的清新、芬芳、甘鲜于一身，品质极为出众，得到很多海内外茶人的喜爱和追捧。

黄茶的黄色来自制茶过程中的闷黄，独特的制作工艺使其冲泡后呈现出"黄叶黄汤"的特色，且毫香浓显，滋味鲜醇。

白茶采用叶表多白色茸毛的细嫩芽叶制成，制作工程中不揉不炒，完整地保留了原有的外表。优质成品茶毫色银白闪亮，滋味清新甘爽，是不可多得的珍品。

⊙其他分类方法

长期以来民间习惯利用制茶工艺中的焙火程度来界定茶叶，根据焙火的轻重将茶叶分为生茶与熟茶两种。熟茶又根据火候的轻重，分为轻火茶、中火茶和重火茶三种。

各种茶因制造技术及采摘部位的不同而呈现不同的外观，常见的有条形茶、半球形茶、球形茶、扁形茶、碎形茶、针形茶、片形茶、圆形茶、雀舌形茶等。同种类茶的茶青因市场的供需，可依不同制造方法制成各种不同外观的茶叶。

按茶叶成品的聚合形态，茶叶种类又可分为叶茶、砖茶、末茶等。

还有一种较为通用的分类方法是将中国茶叶分为基本茶类和再加工茶类。基本茶类分为6类，即绿茶、黄茶、黑茶、白茶、青茶、红茶。以这些基本茶类作原料进行再加工以后的产品统称再加工茶类，主要有花茶、紧压茶、萃取茶、果味茶、药用保健茶和茶饮料等，茶的含义更加广泛。

绿茶

顾名思义，绿茶以汤色碧绿清澈，茶汤中绿叶飘逸沉浮的姿态最为著名。滋味鲜爽，回味无穷，品之神清气爽。茶中的天然物质保留较多，"儿茶素"是绿茶成分中的精髓部分，故绿茶的滋味收敛性强，对防衰老、防癌、抗癌、杀菌、消炎，甚至降脂减肥等均有特殊效果，为其他茶类所不及。饮绿茶不但是精神上的享受，更能保健防病，有益身心。工作繁忙的都市白领喝上一杯绿茶，可以有效地缓解疲劳。夏天饮用，更能消暑解热。

绿茶的品质

⊙炒青绿茶

加工过程中采用炒制的方法来干燥的绿茶称为炒青绿茶。由于炒制过程中手法变换及机械外力的影响，使得成品茶叶呈现出长条形、圆柱形、扇形、针形、螺形等不同的形状，故又可分为长炒青、圆炒青、扁炒青等。

长炒青状似眼眉，故又称眉茶，特点是条索紧结，色泽绿润，香高持久，滋味浓郁，汤色、叶底黄亮。成品花色有珍眉、针眉、秀眉等，各自又有不同特征。

圆炒青外形细圆紧结，色泽绿润，颗粒饱满，好似珍珠，故得名珠茶或圆茶。其特点是香高味浓，经久耐泡，叶底黄绿明亮，芽叶完整。

↓茶叶的晾青

扁炒青扁平光滑，香鲜味醇，最具代表性的就是西湖龙井。制造龙井茶所采摘的鲜叶十分细嫩，并要求芽叶均匀成朵，高级龙井做工更加精细。

⊙烘青绿茶

用烘笼烘干进行干燥的绿茶为烘青绿茶，初制工序分为杀青、揉捻、干燥3个过程。烘干后的毛茶再经精加工后大部分用作熏制花茶的茶坯，利用茶叶的吸附性，加入鲜花，待到鲜花吐出香味，合理搅拌和窨制，形成既融入花香又保持了茶香的成品花茶。现在部分名优绿茶也采用烘青制法。

烘青绿茶外形完整稍弯曲、锋苗显露、色泽墨绿、香清味醇、汤色明亮，但是香气一般不如炒青绿茶高。烘青绿茶根据外形分为条形茶、尖形茶、片形茶、针形茶等。一些烘青名茶品质特优，特种烘青主要有黄山毛峰、六安瓜片、天山绿茶、峨眉毛峰等名茶。

⊙晒青绿茶

晒青绿茶是绿茶里一个比较独特的品种，鲜叶在锅炒杀青、机械揉捻之后，不再采用人工加工，而是直接通过太阳光的照射来进行干燥。由于太阳光的照射温度比较低，所以晒青所需要的时间也比较长，在这个过程中却没有非自然因素的破坏，所以最大程度保留了茶叶内的天然物质，使得成茶滋味浓厚，并且有一种郁馥的青草味，甚至还可以品尝出"浓浓的太阳味"。不过晒青绿茶往往不直接饮用，而是用来制作紧压茶，比如砖茶、沱茶、普洱茶等，有效地延长了它的保存时间。

根据产地不同，晒青绿茶可分为滇青、川青、陕青等品种，其中以云南大叶种的滇青品质最好，可作为沱茶和普洱茶的原料。

⊙蒸青绿茶

利用高温蒸气将茶树鲜叶杀青，所制成的绿茶称为蒸青绿茶。由于蒸气破坏了鲜叶中酶的活性，形成干茶色泽深绿、茶汤浅绿和茶底青绿，即"三绿"的品质特征，茶汤颜色清澈，十分悦目，但茶香较闷，带青气，涩味也较重，不够鲜爽。蒸青绿茶自唐朝时传入日本，启发了日本茶道文化的兴起，流传至今，现在的日式茶道所用茶仍是蒸青绿茶。

相比日本，中国的茶叶制造有了很大的改变，蒸青绿茶不再普及。虽然湖北的恩施、当阳，江苏的宜兴，还生产蒸青绿茶，但基本上采用的也是日本工艺，产品也返销回日本。

⊙名茶种类

西湖龙井是绿茶中最受欢迎的品种之一，产于浙江省杭州市西湖群山之中。龙井茶形光扁平直，状如雀舌，色翠略黄，滋味甘鲜醇和，香气幽雅清高，汤色碧绿黄莹，叶底嫩匀成朵。

↑绿茶的种类十分丰富，不同品种的制作方法和冲泡方式也略有差别。

信阳毛尖属紧直形绿茶，产于河南省信阳市。高档毛尖茶以一芽一二叶为主，中档茶以一芽二三叶为主。毛尖茶外形紧圆细直，色泽嫩绿隐翠，香气清高，带熟板栗香，滋味甘甜浓厚，叶底细嫩绿亮。

碧螺春属卷曲形绿茶，产于江苏省吴县，其外形纤细卷曲呈螺状，嫩绿隐翠，清香幽雅，鲜爽生津，汤色碧绿清澈，叶底柔匀，饮后回甘，尤其香气极为浓郁。

六安瓜片属片形绿茶，产于皖西大别山区的六安市。成茶似瓜子状，故而得名。此茶色泽翠绿、香气清高、滋味鲜甘，十分耐泡，不仅可以消暑解渴生津，还有极强的助消化作用和治病功效。

⊙品级的划分

西湖龙井历史上曾分为"狮、龙、云、虎、梅"五个品类，现统一标准，分为特级和 1 ～ 8 级，近年来 5 ～ 8 级基本已经不生产。

信阳毛尖分为特级和 1 ～ 3 级。特级毛尖呈一芽一叶初展，比例可以占 85% 以上；一级毛尖以一芽一叶为主，正常芽叶占 80% 以上；二三级毛尖以一芽二叶为主，正常芽叶约占 70% 的比例。《茶经》中说"淮南茶光川上"，近年来又出现了"信阳红，光川香"的美誉。

洞庭碧螺春的品级划分以茶叶中芽头数量为判定标准，一般分为 7 个等级，芽叶随级别逐渐增大，而茸毛则逐渐减少。高级品每 500 克由 6.8 万 ～ 7.4 万个芽头组成，曾有极品能达到 9 万个芽头。

六安瓜片分为名片与瓜片 1 ～ 4 级，名片是最好的一种。

↑ 灌木型茶树

绿茶的制作

⊙不发酵茶

　　绿茶是完全不发酵茶，与发酵茶和半发酵茶相比，叶绿素、维生素、茶多酚、咖啡因等天然物质的保留量较多。科学研究发现不发酵茶不仅可以抗过敏，还具有防止细胞老化、抑制癌细胞生长的功能，绿茶中含有的茶甘宁成分还能提高血管韧性，长期饮用有良好的保健作用。

⊙绿茶的制作与分类

　　中国绿茶品种很多，造型又各具特色，不仅茶香耐人回味，还具有较高的欣赏价值。虽然各类绿茶造型工艺不同，但大致上都要经过杀青、揉捻、干燥3道工序流程。根据杀青和干燥方式的不同，可将绿茶划分为蒸青、炒青、烘青和晒青绿茶4种。

⊙摊青

　　鲜叶采摘下来要先进行摊青。摊青需要在干净通风、空气相对湿度比较稳定的环境中进行。不同级别、不同品种的茶叶要分开摊放。因季节、气候、温度等的不同，摊青的时间也略有不同，失水量达15%左右、茶芽变软即可。一般春茶需7～8个小时，夏茶要3～4个小时。

　　摊青过程中要适时翻晾叶子，以便散热。摊青可使嫩叶蒸发部分水分，有利于茶叶内含物的水解，降低茶的苦涩，并且为下一步的杀青减少了能耗和时间。

⊙蒸青

　　蒸气杀青是中国古老的一种杀青方式，主要是利用蒸气来降低酶的活性。

从唐代就开始盛行，宋朝时得到进一步发展，后随着中华民族文化的传播传至日本，相沿至今。日本蒸青分玉露、煎茶、碾茶等，其中玉露属日本高级清蒸绿茶的特色。中国蒸青则以恩施玉露和仙人掌茶品质最为突出。

蒸青工艺保留了叶内较多的蛋白质、氨基酸、叶绿素、芳香物等物质，使绿茶形成干茶深绿色、汤色嫩绿色、叶底青绿色的品质特征。通常蒸青绿茶的外形呈尖针状，茶香味醇而口感略显青涩。

⊙炒青

自明朝推广炒青工艺之后，蒸青制法就逐渐被其取代了。炒青是以锅壁或滚筒壁的高温迅速破坏酶的活性，使茶多酚等停止氧化。为了避免红梗红叶现象的产生，温度一般达到180℃左右即可，然后再适当降低温度。叶内所含部分水分蒸发，增加了叶质的韧性和软度，为揉捻成形提供了条件，同时去除了茶的青草味，显露出茶的清香。

⊙烘青

烘青根据不同制法可分为人工烘青和机械烘青。人工烘青多采用焙笼烘焙，先加热焙心，打毛火，焙心温度至90℃开始上茶，实行"高温薄摊，中间略厚"的原则。此过程要适时翻茶，叶子达五成干时，下焙摊凉；再打足火"低温慢烘"。机械烘青就是借助烘干机烘干，也有毛火、足火之分。烘青绿茶大部分用于窨制花茶的茶胚，干茶为墨绿色，清爽芬香。

⊙揉捻

揉捻是绿茶塑形的一道工序，减小了茶叶的体积，绿茶的不同形态也是在此过程中显现的，为干燥成形奠定了基础。揉捻还能适当破坏部分叶细胞，使茶汁溢出黏附于叶表，茶味更加香醇。

揉捻分为冷揉和热揉两种。一般嫩叶容易成形，多采用冷揉，即杀青后摊凉，再进行揉捻，以此来保持叶的色泽。老叶纤维素含量高，宜采取热揉，即杀青后趁热揉捻，利于叶卷成条。

根据采取的方式不同，揉捻还可分为机械揉捻和手工揉捻。由于手工揉捻耗费人力，效率又低，所以除龙井、碧螺春等手工名茶外，大多数茶叶都使用机械揉捻。

⊙干燥

干燥是绿茶整形的工序，对经过揉捻的叶子整理、改进外形，蒸发掉多余的水分，便于运输和储存，并发挥茶香。绿茶的干燥有3种方式：炒干、晒干和烘干；一般分烘干和炒干两步进行。由于揉捻后的叶子还有一定的水分，所以需要先烘干，至水分蒸发到适宜锅炒，然后再进行炒干。炒干更好地固定了茶的外形，提升了绿茶的清香。最后经过炒干的绿茶起锅摊凉，即完成全部制作。

绿茶的冲泡

⊙茶具的选用

　　绿茶冲泡后的最大特点就是茶叶条索舒展，在水中的形态富于变幻，欣赏茶叶的动态美也是茶道文化的一个方面，自然不可轻易错过。为了能更好地观察，透明度佳的玻璃杯是冲泡绿茶的首选，尤其是西湖龙井、碧螺春等细嫩的名贵绿茶，绿芽入水后在水中舒展游动，上下翻滚，少顷便徐徐沉入水中，或直立而下，或曲折徘徊，姿态婀娜。透过玻璃杯，这一系列"绿茶舞"都可尽收眼底，极具情趣。

　　除玻璃杯外，白瓷茶杯也是一个不错的选择。瓷茶具造型更为雅致，托在手中手感细腻，比玻璃杯更宜于保温。好的白瓷光洁如玉，内盛碧绿的绿茶茶汤，能充分映衬出茶汤的青翠明亮。白瓷茶杯的不足之处是透明度不足，使人不能完整地欣赏茶叶在水中的动态变化。不管用何种茶具，器形宜小不宜大，大则水多，茶叶易老。

⊙水温控制

　　冲泡绿茶最适宜的水温在90℃左右，根据冲泡方法及茶叶品种、时节、鲜嫩程度的不同，水温可适当调整。清明前后一周左右采制的绿茶及一些高档名优的茶叶，因绿芽较为幼嫩，温度要低一些，大概85℃左右为宜。水温太

高的话不利于及时散热，茶汤会被闷得泛黄，口感苦涩，带熟汤之气。冲泡两次之后水温可适当提高。某些极粗老的低档绿茶可以用95℃水冲泡。以上只是大概的原则，把握原则后，还需要在冲泡时根据具体情况灵活运用，才能泡出色香味俱全的好茶。

⊙置茶量

　　茶叶用量直接影响茶汤浓淡，并无统一规定，要视茶具大小、茶叶种类和个人口味喜好而定。一般而言，茶叶与水的标准比例以1∶50为宜，即1克茶叶用50毫升左右的水。这样冲泡出来的茶汤浓淡适中、口感鲜醇，尤其适于细嫩度高的名优绿茶。刚开始可尝试不同的用量，找到自己最喜欢的茶汤浓度。如果喜浓饮者，可略多添茶；喜淡饮者可以少加茶。比例严重失调的话，很容易失去绿茶特有的香气和细腻口感，而且还会味道苦涩，影响品饮。

⊙冲泡三法

冲泡绿茶有 3 种常用的方法。上投法是一次性向茶杯中注足热水，待水温适度时投放茶叶，多适用于细嫩炒青绿茶，如特级龙井、碧螺春、信阳毛尖，细嫩烘青绿茶如黄山毛峰等。此法水温要掌握得非常准确，越是嫩度好的茶叶，水温要求越低，有的茶叶可 80℃时再投放。可是由于这种方法在日常品饮时操作难度较大，不是很方便。

中投法是在投放茶叶后，先注入三分之一的热水，稍加摇动使茶叶吸足水分舒展开来，再注至七分满热水。此法也适合较为细嫩的茶叶，可以彻底降低水温，避免茶的苦涩；茶叶的上下浮动姿态也最为持久，但是茶汤滋味不及上投法。

下投法与前两种不同，它是先投放茶叶，然后一次性向茶杯内注足热水。此法适用于细嫩度较差的一般绿茶。

⊙冲泡时间

冲泡品饮绿茶，以前三次冲泡为最佳，至第三泡之后，滋味已经开始变淡。首先用水烫杯，起到温杯和洁具的作用。然后注水半杯即可，此为润茶，大约 1 分钟后，用水高冲；在水流的激荡下可以使茶叶更加清香可口，较高的杯温已隐隐烘出茶香，再浸泡约一分半钟，即可品茶。冲泡好的绿茶应在 3 ~ 6 分钟内饮用完毕，不可久放，放置超过 6 分钟后，口感已经变差，失去了绿茶的鲜爽。

⊙适时续水

品茶时，当饮者茶杯中只剩下 1/3 左右茶汤时，就该续水了。续水前应将上次候汤时未用尽的温水倒掉，重新注入开水。温度高一些的水才能保证续水后茶汤的温度仍在 90℃左右，同时也保证了第二泡的浓度，达到最佳冲泡效果。一般每杯茶可续水两次，也可按个人口味，酌情处理。尤其在以茶待客的时候，一定要视客人需求而定。

红茶

红茶具有红叶、红汤的外观特征，色泽明亮鲜艳，味道香甜甘醇。红茶中含有丰富的蛋白质，保健性极高，其性甘温，可养人体阳气，生热暖腹，温胃驱寒，消食开胃，增强人体的抗寒能力。最宜脾胃虚弱者、体质偏寒者饮用。虽然红茶中所含的酚类成分与绿茶相比有较大的区别，但红茶同样具有抗氧化、降低血脂、抑制动脉硬化、杀菌消炎、增强毛细血管功能等功效。

红茶的品质

⊙小种红茶

小种红茶为中国福建省特产，有正山小种和外山小种之分。正山小种产于风光秀美的福建武夷山区。"正山"乃是真正的"高山地区所产"之意，凡是武夷山中所产的茶，均称作正山；而武夷山附近所产的红茶均为仿照正山品质的小种红茶，质地较为逊色，统称外山小种。

正山小种条索饱满，色泽乌润，泡水后汤色鲜艳绚丽，香气绵长，滋味醇厚，具有天然的桂圆味及特有的松烟香。正山小种迄今已有400余年的历史，是世界上最早出现的红茶，早在17世纪初就远销欧洲，并大受欢迎，成为欧洲人心中中国茶的象征。

⊙功夫红茶

功夫红茶又名条红茶，经过萎凋、揉捻、发酵和干燥的流程制成，是中国特产的红茶品种，因其工艺高超、制作精细、品饮讲究而得名。根据茶树品种又分为大叶功夫茶和小叶功夫茶。大叶功夫茶是以乔木或半乔木茶树鲜叶制成；小叶功夫茶是以灌木型小叶种茶树鲜叶为原料制成。

世界四大红茶

红茶是世界上消费人数最多的茶叶种类。除了中国，印度和斯里兰卡也出产优质的红茶。世界上最著名的优质红茶包括祁门红茶、大吉岭红茶、阿萨姆红茶和锡兰高地红茶，被世人称为四大名红茶。

对于安徽祁门的红茶，国人较为熟悉。产自印度的大吉岭红茶略带葡萄香，口感细腻柔和，适合清饮；阿萨姆红茶也来自印度，带有麦芽香，滋味浓烈，冬季饮用最佳；锡兰高地红茶产自斯里兰卡，香气芬芳如花，口感略为苦涩，回味甘爽，适宜白天饮用。

↑正山小种红茶

功夫红茶条索挺秀，紧细圆直，香气鲜浓纯正，滋味醇和隽永，汤色红明,叶底红亮。中国功夫红茶品类多，产地广，按产地不同，品质各具特色。

⊙红碎茶

红碎茶有百余年的产制历史，是国际市场上销售量最大的茶类。它是在功夫红茶加工技术的基础上，以揉切代替揉捻，或揉捻后再揉切而制成。揉切的目的是充分破坏叶组织，使干茶中的内含成分更易冲泡出，形成红碎茶汤色红艳明亮，滋味浓、强、鲜的品质风格。根据其总的品质特征，红碎茶可分为叶茶、碎茶、片茶、末茶4个细类。中国云南、两广和海南地区是红碎茶的集中生产地。国外红碎茶的生产主要集中在印度、斯里兰卡和肯尼亚，其产量的总和占世界红碎茶总产量的80%以上，且质优价高。

⊙名茶种类

祁门功夫红茶是中国传统功夫红茶的珍品，有百余年的生产历史。主产于安徽省祁门县，简称"祁红"。祁红功夫茶条索紧秀细长，色泽乌黑泛灰光，俗称"宝光"，内质香气浓郁高长，清雅隽丽，似蜜糖香味，极品茶更是蕴有兰花香气,清鲜持久，号称"祁门香"。清饮最能体味祁红的隽永香气，即使添加鲜奶亦不失其香醇。作为下午茶、睡前茶很合适。

⊙品级的划分

红茶的品级依品种、采摘部位、产区、海拔高度及季节等而有所不同，很难只凭其中某一项标准来界定品级。世界上红茶的品种很多，产地也很广泛。其中最负盛名的4大名品红茶有祁门红茶、阿萨姆红茶、大吉岭红茶和锡兰高地红茶。

红茶的制作

⊙全发酵茶

红茶属于全发酵茶，因而发酵也是红茶制作中最重要的工序，也是与制作其他茶叶最显著的区别。

中国的红茶种类主要有功夫茶、红碎茶和小种红茶3种，其主要制作工序都经过萎凋、揉捻、发酵、干燥4个步骤，但各道工序需要的条件和程度又略有不同。下面以功夫红茶为例，对红茶制作的主要步骤做逐一介绍。

⊙ 萎凋

萎凋是红茶加工的第一道工序。红茶萎凋有3种方法：日光萎凋、室内自然萎凋和萎凋槽萎凋。

日光萎凋——这种方法受天气制约很大，阳光强烈的午后和阴雨的天气都不适宜。通常在春茶季节，气候比较温和时采用，这个时节萎凋程度容易控制，萎凋时间大约为1个小时。

室内自然萎凋需要在四面通风、洁净干燥的房间内进行，对室内的温度和湿度都有很高的要求，温度在21℃～22℃、相对湿度在70%左右为宜。萎凋时间为18个小时左右。由于这种方法萎凋时间长，产量低，不易操作，所以通常很少采用。

萎凋槽由热气发生炉、通风机、槽体和盛叶框4部分组成，温度一般控制在35℃左右。在夏秋季节，气温超过30℃以上，则可不用加温，直接用鼓风机鼓风即可。萎凋过程中要时常监测温度变化。萎凋时间3～4个小时，春茶气温较低，需要5个小时左右。萎凋槽萎凋结构简单，工作效率高，萎凋质量好，是最为常用的方法。

⊙ 揉捻

揉捻是红茶加工的第二道工序。

揉捻使叶细胞遭到破坏，叶卷成条，叶汁溢出并凝于叶表，增加了茶叶的浓香，为发酵创造条件。揉捻需要的空气相对湿度为85%～95%，室内温度保持在20℃～24℃的条件下进行，需要避免日光直射。在夏秋季节，低湿高温的环境下，也可通过安装喷雾、洒水、搭荫棚等来降低温度、提高湿度。

揉捻时间和萎凋叶的投入量根据茶树品种、揉捻机型号而定。大型揉捻机，揉捻时间约90分钟，投叶量多；中型揉捻机揉捻时间70～80分钟，投叶量适中；小型揉捻机一般揉捻60～70分钟，投叶量较少。总体来讲，投入量应为容器的75%～85%。

⊙发酵

发酵是红茶加工最关键的工序。它使氧化酶的活性增加，与多酚类物质发生氧化聚合，叶子变为红色。发酵室要求空气相对湿度达95%以上，温度一般在22℃～25℃。发酵时将揉捻叶平铺在特定的发酵盘中，嫩叶稍薄，老叶略厚；春茶需薄，夏秋茶略厚。

发酵时要保持空气流通，春茶发酵时间3～4个小时，夏秋茶则减至1～2个小时。由于温度对红茶发酵很重要，所以发酵时间要灵活掌握。在夏秋气温高的时节，有时甚至不需要再进行发酵，揉捻结束，发酵就已经完成。发酵适度，叶子青草味消失，并散发出清香，叶色及凝于表面的液汁均呈红色，形成红茶特有的颜色和香气。

⊙干燥

干燥是红茶制作的最后一道工序。它是通过高温来达到钝化酶的活性，使发酵停止，同时蒸发水分，固定茶形，防止霉变。红茶一般要经毛火和足火两次干燥。毛火干燥时，需高温烘焙，薄薄摊铺；然后再用足火干燥，此时温度应稍低，摊铺微厚，时间较毛火略长，至含水量少于6%。毛火干燥适度的叶子，用手触摸会有柔软、刺手、有弹性的感觉；足火后干燥程序基本完成，茶叶若用力手捻则成粉末状，茶色更重，茶香更浓。

⊙红碎茶的揉切

红碎茶与功夫红茶在制法上最大的区别就在于揉切。先用揉捻机进行

↓发酵使红茶具有了与其他茶叶迥然不同的特殊口感。

揉捻后再揉切，多用于嫩度较差的叶子。一般对较嫩的鲜叶可将萎凋后的叶子直接放入揉切机里进行揉切，红碎茶的外形条件也因此而形成。

揉切过程中，叶子受到多种力的作用，温度迅速升高，为避免叶温过高引起过度的发酵，通常要缩短揉切时间，但为了保证碎茶的效果，则要增加揉切的次数。由于叶片被切碎，使得叶细胞遭到严重破坏，叶汁外溢，叶内所含物质与空气充分接触，氧化作用加剧，由此便形成了红碎茶香气馥郁、口感更浓醇的特点。

⊙小种红茶的干燥

小种红茶不同于功夫红茶的制作工艺之处，在于萎凋和干燥过程中，加入了松烟烘焙。

主要方法是利用松柴燃烧产生热量来蒸发多余水分，同时茶叶吸收掉大量的松烟，促进芳香物质的散发，形成小种红茶特有的烟熏香味，以及口感醇正浓厚的品质特点。

"过红锅"也是小种红茶加工过程中的特有工序。待锅温达一定高度时，投入发酵叶，双手快速翻炒。感觉叶子变软烫手时，即可出锅。炒制时间不宜过长，以免产生焦叶，而时间太短香气又得不到足够的提升。快速的高温炒制，钝化了酶促作用，使发酵停止。

红茶的冲泡

⊙适宜的茶具

红茶高雅的芬芳以及香醇的味道，必须要以合适的茶具搭配，才能烘托出它独特的风味。品饮红茶最合适的茶具是白色瓷杯或瓷壶，尤以骨瓷最

40

佳。质地莹白、隐隐透光的骨瓷杯盛入色彩红艳瑰丽的红茶茶汤，在升腾的雾霭中感受扑鼻而来的香气。闲暇时捧着一杯红茶，度过一个轻松的午后，保温性能最佳的骨瓷杯能保证你品到的每一口茶都温暖且甘甜。

一般来说，功夫红茶、小种红茶、袋泡红茶、速溶红茶等大多采用杯饮法，即置茶于白瓷杯中，用沸水冲泡后饮用。红碎茶和片末红茶则多采用壶饮法，即把茶叶放入壶中，冲泡后为使茶渣和茶汤分离，从壶中慢慢倒出茶汤，分置各小茶杯中，便于饮用。茶叶残渣仍留壶内，或再次冲泡，或弃去重泡，处理起来都很方便。

⊙ 水温

红茶最适合用沸腾的水冲泡，高温可以将红茶中的茶多酚、咖啡因充分萃取出来。高档红茶适宜水温在95℃左右，稍差一些的用95℃～100℃的水即可。注水时，要将水壶略抬至一定的高度，让水柱一倾而下，这样可以利用水流的冲击力将茶叶充分浸润，以利于色、香、味的充分发挥。当沸水冲入茶壶中时，茶叶会先浮现在茶壶上部，接着慢慢沉入壶底，然后又会借由对流现象再度浮高。如此浮浮沉沉，直到最后茶叶充分展开时方完成，这就是所谓的焖茶时间。

⊙ 置茶量

茶叶投放量的多少要视茶具容量大小、饮用人数、饮用人的口味、饮用方法及茶的不同品性而定。大体原则和绿茶类似，茶叶与水的比例一般为1：50，1克茶叶需要50毫升的水。过浓或过淡都会减弱茶叶本身的醇香，过浓的茶还会伤胃。按照一般的饮用量来讲，冲泡5～10克的红茶较为适宜。红茶多放一点，冲泡出来会很浓香，但一定要把握得当。

⊙ 浸泡时间

冲茶前要有一个短短的烫壶时间，用热滚水将茶具充分温热。之后再向茶壶或茶杯中倾倒热水，静置等待。如有盖子，还可将盖子盖严，让红茶在封闭的环境中充分受热舒展。

根据红茶种类的不同，等待时间也有少许不同，原则上细嫩茶叶时间短，约2分钟；中叶茶约2分半钟；大叶茶约3分钟，这样茶叶才会变成沉稳状态。若是袋装红茶，所需时间更短，40～90秒即可。泡好后的茶叶不要久放，放久后茶中的茶多酚会迅速氧化，茶味变涩。好的功夫红茶一般可冲泡多次，而红碎茶只能冲泡1～2次。

⊙ 清饮法

清饮是指将茶叶放入茶壶中，加沸水冲泡，然后注入茶杯中细品慢饮，不在茶汤中加入任何调味品，体味的完全是红茶固有的芬芳。苏东坡曾有诗比喻，"从来佳茗似佳人"。清饮的红茶，正如一位天生丽质的美人，不需要人工的雕饰，也能散发出自然的韵味。

清饮时，一杯好茶在手，慢慢啜饮，默默赏味，最能使人进入一种忘我的精神境界，欢愉、轻快、激动、舒畅之情油然而生。中国人多喜欢清饮，特别是名特优茶，一定要清饮才能领略其独特风味，享受到饮茶乐趣。

→白瓷和红茶搭配，简单而素雅，韵味深长。

⊙ 调饮法

既然佳茗堪比佳人，那自然是浓妆淡抹总相宜。除去中国人传统的清饮法外，受西方人影响，现在美味丰富的调饮法也同样流行。调饮法，是在泡好的茶汤中加入奶或糖、柠檬汁、蜂蜜、咖啡、香槟酒等，以佐汤味。所加调料的种类和数量，根据个人爱好，任意选择调配，风味各异。也有的在茶汤中同时加入糖和柠檬、蜂蜜和酒同饮，或置于冰箱中制成不同滋味的清凉饮料，都别具风味。

调饮法在现代广为流行，尤其受到年轻人的喜爱。调饮法用的红茶，多数用红碎茶制的袋泡茶，茶汁浸出速度快，浓度大，也易去茶渣。

乌龙茶

乌龙茶的品质介于红茶与绿茶之间，其综合了红茶和绿茶的制作方法，既保持有红茶的浓鲜味，又有绿茶的清芬香。茶叶在水中呈"绿叶红边"，品尝后齿颊留香，回味甘鲜。

乌龙茶的药理作用，突出表现在分解脂肪、减肥健美等方面。因其中含有较多的茶多酶，会有效减少皮下脂肪，且能降低胆固醇，清除胃肠油腻，在日本被称为"美容茶"、"健美茶"，对于减肥美容者是很好的选择。

乌龙茶的品质

⊙闽北乌龙茶

闽北乌龙茶主要是岩茶，产于福建武夷山一带，主要有武夷岩茶和闽北水仙，其中又以武夷岩茶最为著名。因武夷山的生态环境极为适于茶树生长，再加上独特精湛的制作工艺，使得武夷

↑茶和书法，都是典型的东亚文化的代表。

岩茶驰名中外。武夷岩茶外形匀整，壮结卷曲，色泽青翠润亮，叶背呈蛙皮状沙粒白点，冲泡后汤色较深，叶底、叶缘显朱红，中央呈浅绿色，红绿映衬，形成奇特的"绿叶镶红边"。品饮此茶，香气馥郁，滋味浓醇，鲜滑回甘，"锐则浓长，清则幽远"，具有特殊的"岩韵"。代表名茶有大红袍、肉桂、铁罗汉等。闽北另一花色水仙茶的品质也别具一格，有"茶质美而味厚，奇香为诸茶冠"的美誉。

⊙闽南乌龙茶

闽南乌龙茶主要是铁观音，源于闽北武夷山，在闽北乌龙茶的基础上吸取长处不断发展，形成了自己独有的制作工艺。其制作严谨，技艺精巧，对茶树鲜叶采摘的成色、采摘时间、天气、制法，都有极为精确的要求，在国内外茶叶市场上享有盛誉。

安溪铁观音和黄金桂是其中最为杰出的代表。铁观音是用铁观音品种芽叶所制,黄金桂是用黄旦品种芽叶所制。铁观音外形呈蜻蜓头状,汤色金黄,清澈明亮,较闽北乌龙偏淡,耐冲泡,具有独特的"观音韵",有诗云"未尝甘露味,先闻圣妙香",是对安溪铁观音最形象的赞美。

⊙广东乌龙茶

广东乌龙茶主产于广东潮汕地区,加工方法源于福建武夷山,因此其风格流派与武夷岩茶有些相似。凤凰单枞和凤凰水仙是广东乌龙茶中的最优秀产品,历史悠久,品质特佳,为外销乌龙茶之极品,闻名于中外。它具有天然的花香,卷曲紧结而肥壮的条索,色泽青褐而牵红线,汤色黄艳带绿,滋味鲜爽而浓郁甘醇,叶底绿叶红镶边,耐冲泡,连冲十余次,香气仍然溢于杯外,甘味久存,真味不减。近年来,广东的石古坪乌龙茶和岭头单枞也迅速崛起,为广大茶人所喜爱。

⊙台湾乌龙茶

台湾乌龙茶产于台湾岛,是自福建安溪移植而来,依据其发酵程度不同,可分为轻发酵乌龙茶、中发酵乌龙茶和重发酵乌龙茶3类。清香乌龙茶及部分轻发酵包种茶属轻发酵乌龙茶,其品质特征是色泽青翠,冲泡后汤色黄绿,花香显著,叶底青绿,基本上看不出有红边现象。

中度发酵乌龙茶主要有冻顶乌龙、木栅铁观音和竹山金萱等。外形多数为

↓台湾坪林茶叶博物馆生态园的陆羽塑像

半球状颗粒，也有卷曲状。其色泽青褐，汤色金黄，有花香和甜香，滋味浓醇，叶底多数黄绿，可见少量红边。

重度发酵的乌龙茶有白毫乌龙，色泽乌褐，嫩芽有白毫，汤色橙红，有蜜糖香和果味香。

⊙香型类别

乌龙茶，有"中国特种茶"之称，花色品种丰富，名优茶种类众多，从香型上主要分为两类：清香型乌龙茶和浓香型乌龙茶。

"清香型"乌龙茶，又名"台式"乌龙茶，主要是台湾岛在安溪乌龙茶的基础上，以独特的栽培和加工制作技术生产出来的自成一格的乌龙茶。清香型乌龙茶表现出来的特质有：干茶呈球形或半球形，色泽碧绿，冲泡后在杯中呈茶蕾状，香气清新持久，汤色明亮黄绿，口感鲜嫩回甘，韵味强，叶底浓绿柔软。代表品种冻顶乌龙是乌龙茶中的后起之秀。

"浓香型"乌龙茶以传统工艺生产制作，相对于清香型乌龙茶有做青程度较重、烘焙时间较长等细微区别，不同种类的名优茶还有各自独特的工序和工艺要求。其主要特质有：条索粗壮紧结，重实匀整，色泽绿润，有光泽，香气浓郁，深沉持久，滋味醇浓清爽，回味悠长，汤色橙黄艳丽，叶底黄绿镶红边，"七泡有余香"。代表品种武夷岩茶，具有"岩骨花香"的独特韵味。

⊙名茶种类

安溪铁观音是乌龙茶类的最杰出代表，外形卷曲，色泽砂绿，冲泡后散发出独特的兰花香气。茶汤清亮，汤色金黄浓艳，入口顺滑，滋味鲜甜，口感饱满醇厚，唇齿留香。叶底肥厚明亮，亮如绸面。不但是天然佳饮，还具有养生保健功效。

"黄金桂"也产自安溪，因其汤色金黄有奇香似桂花，故而得名，是乌龙茶中的又一极品。条索紧细，色泽润亮，香气幽雅鲜爽，带桂花芬芳，滋味纯细甘鲜，汤色金黄明亮，叶底中央黄绿，边沿朱红，柔软明亮，别具一格。

冻顶乌龙茶俗称冻顶茶，是台湾知名度极高的茶，以青心乌龙为原料制成。成品外形呈半球形弯曲状，色泽墨绿油润，有天然的清香气。冲泡时茶叶自然冲顶壶盖，汤色呈橙黄，味醇厚甘润，发散桂花清香，且略带焦糖香味。后韵回甘味强，耐冲泡，饮后杯底不留残渣。

乌龙茶的制作

⊙部分发酵茶

部分发酵茶也称乌龙茶，又称青茶。其特性介于全发酵茶和不发酵茶之间，既具有红茶的醇香，但无热性；又具有绿茶的清爽，却不寒性。因叶子中心显绿，叶边发红，故有"绿叶红镶边"的美称。乌龙茶内含有丰富的茶多酶，能有效分解脂肪，达到减肥的功效。乌龙茶的主要产地有福建、广东、台湾等。制作工序大致可分为萎凋、做青、杀青、揉捻和干燥5个步骤。

⊙萎凋

乌龙茶的萎凋与发酵几乎是同时进行的。萎凋有室外萎凋和室内萎凋。

室外萎凋又称日光萎凋，也就是通常所说的晒青。鲜叶采摘下来后，为防止茶青闷坏，应立即摊晒散热，根据气温的高低适时翻晒。一般来说晒青应在较弱的阳光下进行，夏季的午后光线太过强烈，不宜摊晒。待茶青变软后，即可移至室内。

室内萎凋也称凉青。茶叶移至室内后，静置一段时间，使水分均匀分布，同时适当翻动，促进水分蒸发，再静置，再翻动……循环数次，直至达到理想干度为止。这就是"走水"。

萎凋时茶内水分逐渐散失，叶细胞膜的半透性遭到破坏，酶的活性增加，

乌龙茶在日本

乌龙茶没有甜味，口味清爽，使用天然原料，不染色，在日本受到各阶层消费者的欢迎。1997年，日本乌龙茶饮料产量达117.8万千升，已经超过了可乐饮料115.2万千升，在清凉饮料市场上跃居第二位，仅次于咖啡类饮料。

叶内含物开始转化，去除苦涩及青草味，使香气逐渐显露，并促进发酵。

⊙做青和摇青

萎凋后的叶子置于摇青机中摇动，叶片互相碰撞、摩擦，叶组织被破坏，叶缘细胞发生损害，从而促进酶促氧化作用的进行。这就被称为"摇青"。叶片经过摇动，由软变硬。再静置一段时间，使酶促氧化作用减缓，水分均匀分布，嫩叶恢复弹性，由硬变软。由于多酚酶类物质从破损细胞中溢出，以及水分的减少，使得叶缘部位氧化反应强烈，显现出红色物质，形成"红边"，而叶片中央，则由暗绿变为黄绿，构成了乌龙茶特有的"绿叶红镶边"的外形特征。

⊙ 杀青

乌龙茶的杀青工艺多采用杀青机进行杀青。杀青时要茶青能在短时间内达到适宜的温度，以迅速破坏酵素的活性。杀青的时间也要适度掌控，若时间过长，则有可能发酵过度，影响香气的发挥；如时间过短，叶内一些物质转化不能充分进行，会大大影响成品茶的品质。杀青适度的叶子，青涩气消失，香气加浓，水分含量达到揉捻的适度标准。

高温杀青使酶的活性遭到破坏，有效控制了氧化反应的进行，防止红梗红叶的出现，并发散掉低沸点的青涩气，增强了茶的醇香，巩固了茶的品质。

⊙ 静置回润

杀青后的茶叶，在进行下一步的揉捻之前要先用干净的湿布包裹起来，再放入谷斗中，上面覆盖一层湿布，把茶叶略微压实。这一工序对茶叶起到闷热静置的回润作用。

⊙ 揉捻

乌龙茶依揉捻方式的不同，分为散揉和团揉两种。散揉是将杀青后的叶子直接放入揉捻机里压揉；团揉则要先用布把茶青包裹成团，再进行人工或机械的揉捻。揉捻的力度是影响茶叶品质形成的重要因素，力度过大使叶片易碎，太轻则不利于成形。

适度的揉捻使叶条紧索，体积减小，利于保存；叶呈乌绿色，红边明显；叶组织一定程度的损害使茶汁溢出，并黏附于叶子表面，叶子内含物混合接触，发生转化，增进了冲泡时的茶香与清爽。揉捻好的叶子要解块处理，以便下一步的干燥。

⊙ 干燥

乌龙茶的干燥是利用高温来破坏残留的酶的活性，彻底地抑制发酵反应的进行。充分蒸发水分，可以固定茶的品质。干燥产生的热化反应，能消除茶叶的苦涩味道，发散浓厚的茶香。

乌龙茶的干燥方式与绿茶相似，都采用烘笼烘焙或机械烘焙。烘笼烘焙，初焙时，要经常翻搅，使茶叶干燥均匀，至七成干时，要取出摊晾一段时间，使水分重新分布，再进行烘焙。烘焙的时间、温度要视叶子的老嫩程度、含水量、外界湿度等灵活掌握。而机械烘焙是在烘干机里进行的，温度、时间都能自动控制，因其方便、快捷、省力，是目前茶农最常用的方法。

⊙包种茶的采摘

包种茶是一种发酵较轻的乌龙茶，其采制工艺可以概括为：雨天不采，带露不采，晴天要在上午11时至下午3时采摘。春秋两季要求采二叶一心的茶芽，采时需用双手弹力平断茶叶，断口成圆形，不可用力挤压断口，如挤压出叶汁随即发酵，茶梗变红影响茶质，每装满一篓就要立即送厂加工。

⊙包种茶的制作

包种茶的制作工艺分为初、精两步。初制包括：日光萎凋、室内萎凋、摇青、杀青、揉捻、解块、烘干等工序，其中以翻动做青最为关键。每隔1～2个小时翻动一次，一般需要翻动4～5次，才能达到发挥茶香的目的。精制以烘焙为最主要的工序，初制茶放进烘焙机后，在70℃的恒温下不断搅动发香，使包种茶呈现叶性较为温和的特质。

乌龙茶的冲泡

⊙烹茶四宝

生活在中国闽南、潮汕地区的人们对乌龙茶非常热爱。品饮乌龙，首重风韵，讲究用小杯慢慢品啜，闻香玩味。冲泡起来也很下工夫，因此称之为饮功夫茶。

福建功夫茶历史悠久，自成文化，配有一套精巧玲珑的茶具，美其名曰"烹茶四宝"。指的是：潮汕风炉、玉书碨、孟臣罐、若琛瓯。潮汕风炉是一只缩小了的粗陶炭炉，为广东潮汕地区所制，生火专用；玉书碨是一个缩小的瓦陶壶，约能容水20毫升，架在风炉上，烧水专用；孟臣罐是一把比普通茶壶还小的紫砂壶，专作泡功夫茶用；若琛瓯是个只有半个乒乓球大小的白色瓷杯，容水量仅4毫升，通常一套3～5只不等，专供饮功夫茶之用。

↓武夷山岩茶

↓同心杯与其内胆

茶具的摆设以孟臣罐为中心，排放在一个椭圆或圆形之茶盘中，壶、杯、盘可按个人喜好自行搭配，具有独特的艺术价值和艺术美感，缺一不可，往往被看成一套艺术品，为细腻考究的功夫茶艺锦上添花。

⊙同心杯组

台湾是乌龙茶生产大省，台湾五花八门的泡茶法也成为乌龙茶泡法的一大流派。同心杯组泡乌龙茶是台湾较为流行的方法之一。同心杯组由一个大茶杯及其中的内胆组成。顾名思义，茶杯与内胆同心，"内胆"即过滤网，可以将茶渣滤出。泡茶时，将茶叶置于内胆中，泡好后可取出内胆，轻易实现茶叶与茶汤的分离。内胆顶部的凹槽设计使其能跨置于杯口，不会滑落，待茶汤沥干后，取下内胆置于杯盖上即可。

这种简洁、卫生的组合适合在办公室内泡乌龙茶。同心杯的杯壁往往刻上箴言或祝福之语，被当做礼物赠予亲友，极具纪念和收藏价值。

⊙水温

乌龙茶采摘的原料是成熟的茶枝新梢，对水温要求与细嫩的名优茶有所不同。在所有茶叶中，乌龙茶要求的冲泡水温是最高的，由于它包含某些特殊的芳香物质，需要在高温的条件下才能完全发挥出来，要求水沸之后立即冲泡，水温为100℃。水温高，茶汁浸出率高，茶中的有效成分才能被充分浸泡出来，茶味浓，茶香易发，滋味也醇，更能品饮出乌龙茶特有的韵味。如水温偏低，茶就会显得淡而无味。煮茶的水不可烧得时间太长，沸腾时间太长的水也不利于茶味。

■乌龙茶的由来■

自古以来，关于乌龙茶的由来流传着很多美丽的传说。其中流传最广的是：在清朝的雍正年间，福建省安溪县有一个叫苏龙的茶农，因其皮肤黝黑，大家都叫他"乌龙"。他每天都要上山采茶，顺便狩猎并以此为生。一天他正在采茶的时候，发现了一头山獐，于是开枪将其捕获。傍晚回到家中，全家人都忙着烹制和品尝山獐的美味，忘记了制茶。结果第二天再制茶时发现，叶子镶上了红边，茶叶的滋味更加香浓，也没有了以往的苦涩，于是将这种茶叶经过多种尝试终于研制出了新的茶品，并以乌龙的名字为其命名为"乌龙茶"。

⊙ 置茶量

　　乌龙茶由于叶片较粗大，茶汤要求滋味浓厚，冲泡时茶叶的用量比名优茶和大宗花茶、红茶、绿茶要多，若茶叶是紧结半球形乌龙，茶叶需占到茶壶容积的 1/4 ～ 1/3；若茶叶较松散，则需占到壶的一半。如果是用玻璃杯来泡，茶叶的用量就可以少一些，与绿茶相仿即可。置茶时，通常将碎末茶先填入壶底，其上再覆以粗条，以免茶叶冲泡后，碎末填塞茶壶内口，阻碍茶汤的顺畅流出。

⊙ 冲泡要领

　　乌龙茶的冲泡时间由开水温度、茶叶老嫩和用茶量多少三个因素决定的。一般的情况下，冲入开水 2 ～ 3 分

↑冲泡乌龙茶时，投茶量比其他种类的茶叶略多。

钟后即可饮用。但是，有下面两种情况要做特殊处理：一是如果水温较高，茶叶较嫩或用茶量较多，冲第一道可随即倒出茶汤，第二道冲泡后半分钟倾倒出来，以后每道可稍微延长数十秒时间。二是如果水温不高、茶叶较粗老或用茶量较少，冲泡时间可稍加延长，但是不能浸泡过久，要不然汤色变暗，香气散失，有闷味，而且部分有效成分被破坏，无用成分被浸出，会增加苦涩味或其他不良气味，茶汤品味降低。若是泡的时间太短，茶叶香味则出不来。乌龙茶较耐泡，一般可泡饮 5 ～ 6 次，上等乌龙茶更是号称"七泡有余香"。

⊙冲泡步骤

泡乌龙茶的第一步为淋壶增温，即泡茶之前先用沸水将茶壶、茶杯、茶盘——冲烫，既保持茶具清洁，又利于提高茶具本身的温度。一直以来，乌龙茶也有洗茶的习惯。当壶中置茶以后，将沸水沿壶内壁缓缓冲入，在水漫过茶叶时，便立即将水倒出，称之为"润茶"，去茶叶中的浮尘和泡沫，便于品其真味。

润茶后即第二次冲入沸水，水量以溢出壶盖沿为宜。冲茶时，盛水壶需在较高的位置沿边缘不断地缓缓冲入茶壶，使壶中茶叶打滚，形成圈子，俗称"高冲"，之后盖上壶盖。在整个泡饮过程中需经常用沸水淋洗壶身，以保持壶内水温，这时茶盘中的水涨到壶的中部，又称"内外夹攻"。静候片刻，乌龙茶的精美真味就被浸泡出来了。

⊙品饮得法

品饮乌龙茶的方式也别具一格。一般用右手食指和拇指夹住茶杯杯沿，中指抵住杯底，先看汤色，再将茶杯

从鼻端慢慢移到嘴边，乘热闻香，再尝其味。尤其品饮武夷岩茶和铁观音，皆可闻到浓郁花香。闻香时不必把茶杯久置鼻端，而是慢慢地由远及近，又由近及远，来回往返三四遍，顿觉阵阵茶香扑鼻而来，慢慢啜饮，刚开始茶汤入口会有苦涩味，不消一会儿就会芳香盈喉，渐入佳境，此为茶之回甘，不但满口生香，而且韵味十足，茶之香气、滋味妙不可言，真正让人领会到品饮乌龙的妙处。

品饮乌龙茶还有3忌：一是空腹不能饮，否则容易导致"茶醉"；二是睡前不能饮，否则会使人精神振奋，难以入睡；三是冷茶不能饮，对胃不利。

↑冻顶乌龙茶

↑福建乌龙茶

黄茶

黄茶色泽金黄光亮，最显著的特点就是"黄汤黄叶"。茶青嫩香清锐，茶汤杏黄明净，口味甘醇鲜爽，口有回甘，收敛性弱。以君山银针为代表的黄茶在国内国际市场上都久负盛名，现在已是身价千金。

黄茶性凉微寒，所以适合胃热者饮用。夏季天气酷热，选择黄茶也可起到适当的去暑解热之功效。

黄茶的品质

⊙黄芽茶

"闷黄"工序是黄茶独有的加工方法，使得黄茶具有黄汤黄叶的特色。黄茶的分类标准是按照鲜叶的嫩度和芽叶大小。黄芽茶原料细嫩，是采摘最细嫩的单芽或一芽一叶加工制成，幼芽色黄而多白毫，故名黄芽，香味鲜醇。

由于品种的不同，在茶片的选择、加工工艺上有相当大的区别。最有名的品种包括湖南岳阳洞庭湖的君山银针、四川雅安的蒙顶黄芽和安徽霍山的霍山黄芽。

⊙黄小茶

黄小茶是采摘细嫩芽叶加工而成，一芽一叶，条索细小。目前国内产量不大。主要品种有湖南岳阳的北港毛尖，湖南宁乡的沩山毛尖，湖北远安的远安鹿苑和浙江温州、平阳的平阳黄汤。

沩山毛尖芽叶肥硕多毫，色泽黄亮油润，白毫显露，汤色橙黄明亮，滋味甘醇爽口，叶底黄绿嫩匀，带有一股特殊的松烟香。远安鹿苑呈条索环状，色泽金黄，略有鱼子泡，冲泡后香郁高长，滋味醇厚，口有回甘，汤色黄净明亮。

具有突出高爽的焦糖香味。

⊙名茶种类

黄芽茶中的极品当属湖南洞庭出产的君山银针，其外形茁壮挺直，重实匀齐，银毫披露，金黄光亮，内质毫香鲜嫩，汤色杏黄明净，滋味甘醇鲜爽，在国内外都久负盛名，身价极高。

另一代表花色是蒙顶黄芽，其外形扁直，肥壮匀齐，色泽金黄，汤色黄亮，甜香浓郁，滋味浓醇，叶底嫩黄匀亮。

安徽霍山黄芽亦属黄芽珍品，其形如雀舌，芽叶细嫩多毫，色泽嫩黄，茶汤有板栗香，饮之口有回甘。霍山大化坪金鸡山的金刚台所产黄芽最为名贵，干茶色泽自然，呈金黄色，香高、味浓、耐泡。

■ 潇 湘 黄 茶 数 两 山 ■

湖南是中国的茶产区之一，其中以黄茶尤负盛名。人们谈及黄茶时，常常会说"潇湘黄茶数两山"。所谓的两山，一者为岳阳的君山，一者为宁乡的沩山。岳阳的君山银针和宁乡的沩山毛尖，都是黄茶中的极品。君山银针在历史上作为皇家贡品，旧《湖南省志》称："巴陵君山产茶……岁以充贡。君山茶盛称于唐，始贡于五代。"君山银针"芽身黄似金，茸毫白如玉"，观赏起来赏心悦目，品饮更是口齿留香。沩山毛尖的制造工艺则融黄茶的渥黄和黑茶的熏烟于一体，成品茶叶黄亮光润，叶边微卷，白毫满披，开汤香气浓厚，汤色橙黄明亮，滋味醇和爽口。

⊙黄大茶

黄大茶是中国黄茶中产量最多的一类，主要产于安徽霍山及邻近的湖北英山等地，距今已有400多年历史，其中以安徽的霍山黄大茶、广东的"大叶青"品质上佳，最为著名。

黄大茶的鲜叶采摘要求大枝大杆，一芽四五叶，长度在10～13厘米。春茶一般在立夏前后开采，为期1个月。夏茶在芒种后开采，不采秋茶。制法分杀青、揉捻、初焙、堆积、拉小火和拉老火等几道工序。特点是叶大梗长、叶片成条，梗叶相连，形似鱼钩，梗叶金黄油润，汤色深黄偏褐色，叶底也是黄中显褐，味浓厚，耐冲泡，

图解中国茶经

北港毛尖是黄小茶中的名茶，其外形芽壮叶肥，毫尖显露，呈金黄色，汤色橙黄，香气清高，滋味醇厚。

黄茶的制作

⊙杀青

黄茶（后轻发酵茶）的杀青与绿茶原理基本相同，但温度比绿茶稍低一些，且时间较长。杀青时要多闷少抛，创造高温湿热的环境，以破坏叶细胞中酶的活性，使叶绿素受到较多损害，多酚类物质发生自动氧化和异构化。

随着叶内所含的淀粉、蛋白质分解为单糖和氨基酸，部分水分的蒸发，杀青在提高了茶芳香的同时也发散了青草味和苦涩的口感。这是形成黄茶"黄汤黄叶"特点的前提条件。

⊙闷黄

闷黄是黄茶制作特有的一道工序。根据黄茶种类的差异，进行闷黄的先后也不同，可分为湿坯闷黄和干坯闷黄。如沩山毛尖是在杀青后趁热闷黄；温州黄芽是在揉捻后闷黄，属于湿坯闷黄，水分含量多且变黄快；打晃茶则是在初干后堆积闷黄；君山银针在炒干过程中交替进行闷黄；霍山黄芽是炒干和摊放相结合的闷黄，称为干坯闷黄，含水量少，变化时间长。叶子含水量的多少和叶表温度是影响闷黄的主要因素。湿度和温度越高，变黄的速度越快。闷黄是形成黄茶金黄的色泽和醇厚茶香的关键工序。

⊙干燥

黄茶的干燥比其他茶种温度要低，一般采用分次干燥，即毛火烘干和足火炒干。毛火温度较低，水分蒸发缓慢，干燥的时间相对较长，有利于叶组织内含物的转化，多酚类物质的自动氧化，进一步增强了叶子的黄变，巩固了茶的色泽。足火温度略高，促进了单糖和蛋白质的转化，高沸点芳香物质的发挥，增进茶香。温度先低后高是形成黄茶独特香味的重要因素。

白茶

　　白茶是中国茶叶中的特殊珍品，一般地区并不常见。在中国历史悠久，北宋时期便有种植。茶毫颜色如银似雪，汤色黄绿清澈，香气清鲜，滋味清淡回甘，令人回味无穷。

　　白茶最显著的特点是富含氨基酸，特别是高含量的茶氨酸，不但能提高成品茶的香气和鲜爽度，还能提高人体机能的免疫力，有利身体健康。尤其是陈年的白毫，有防癌、抗癌、防暑、解毒、治牙痛的功效。

白茶的品质

⊙芽茶和叶茶

　　白茶因茶树品种、原料鲜叶采摘的标准不同，分为芽茶和叶茶。白芽茶的典型代表当属白毫银针，产地主要集中在福建福鼎、政和两地。白芽茶具有外形芽毫完整、满身披毫、香气清鲜、汤色黄绿清澈、滋味清淡回甘等品质特点，属轻微发酵茶，是中国茶类中的特殊珍品。

　　叶茶的代表有白牡丹、新工艺白茶、贡眉、寿眉等，成品茶带有特殊的花蕾香气。

⊙名茶种类

　　白毫银针属于白芽茶，是白茶中的极品。用肥壮芽头制成，成茶遍披白毫，挺直如针，色白如银，香气清新，滋味甜爽，汤色浅杏黄。

　　白牡丹属白叶茶，因其干茶呈绿叶夹银毫状，冲泡后绿叶夹着嫩芽，宛如牡丹初绽而得名。贡眉也属白叶茶，优质贡眉芽显毫多，色泽绿，汤色橙黄或深黄，香气馥郁，滋味甘爽，叶底灰绿明亮。

⊙品质鉴别

　　白茶属于微发酵茶，是中国六大茶类的一种。因茶树品种和产地的严格限制，白茶的品种少，产量低，因此优质白茶显得尤为珍贵，品质的优劣也较容易辨别。根据制作原料的不同，白茶主要分为5个品种：白毫银针、白牡丹、贡眉、寿眉和新工艺白茶。白毫银针由肥壮毫芽制成，不带梗蒂，品质最佳；其余4种由细嫩芽叶制成，以芽多而肥壮的为上品。

　　白茶的审评侧重于外形，不同品种在白茶的品质特性的表现上均以芽显毫多、叶张肥嫩、色泽灰绿或褐绿为上品；芽稀而瘦小或无芽，叶张单薄，色泽棕褐发灰的为下品。其中，白牡丹以叶态伸展的为好，新工艺白茶则以条索粗松带卷的更佳。

↑朴素别致的木质茶具

白茶的制作

⊙萎凋对白茶的作用

萎凋是白茶（微发酵茶）制作最关键的工序，是形成白茶银白光润的色泽、清新淡雅的茶香、甘醇鲜爽的口感三大独特品质的重要过程。白茶萎凋不仅蒸发掉鲜叶内的水分，还能使叶内的物质发生化学变化，水分蒸发先快后慢，直到干燥完全。萎凋前期酶的活性增强，叶内有机物水解，多酚类物质氧化。随着萎凋的进行，水分减少到一定程度时酶的活性逐渐下降，氧化受到抑制，有效地去除了茶的苦涩和青气。

⊙萎凋的三种方式

白茶萎凋有室内自然萎凋、复式萎凋和加温萎凋三种。室内自然萎凋：将鲜叶摊放在筛内摇匀，静置 35 ~ 45 小时，至七八成干，叶芽毫色发白，叶色变为深绿，稍有卷翘即可，这一步骤俗称开青。以此种萎凋制成的白茶品质最佳。复式萎凋多适于春茶。在阳光温和的天气里，将开青后的鲜叶放在较弱的日光下晒 10 ~ 20 分钟，待叶子失去光泽，再转移到室内萎凋。加温萎凋解决了多雨季节不宜萎凋的困难，温度控制在 30℃左右，空气相对湿度 65% ~ 75% 为宜。

⊙白茶的干燥

萎凋完成后的白茶应立即进行干燥。干燥对白茶有定色和提香的作用，并能充分去除水分，防止茶叶变色变质。干燥的方式有烘笼烘焙和干燥机烘焙。烘笼烘焙，萎凋程度一般达八九成干时进行，温度应掌握在 90℃左右，烘 10 ~ 20 分钟。若萎凋程度只有六七成干，则需进行二次烘焙。烘焙时要注意翻叶要轻，避免叶芽碎断，降低品质。温度为 80℃ ~ 90℃。

干燥机烘焙，萎凋七八成干的叶子，分两次烘焙，摊叶厚度 4 厘米。初焙速度要快，温度 100℃ ~ 110℃，约 10 分钟。复焙调慢速度，温度为 80℃ ~ 90℃，约 20 分钟即可焙至足干。

黑茶

黑茶流行于云南、四川、广西等地，同时也深受藏族、蒙古族和维吾尔族同胞们的喜爱，几乎已经成为他们日常生活中的必需品。黑茶饼呈黑色，汤色近似深红，叶底匀展乌亮。

对于喝惯了清淡茶叶的人，初尝味道偏苦、浓醇的黑茶或许难以下咽，但只要长时间的饮用，很多人都会爱上它独特的"滑、醇、柔、稠"的口味。

黑茶在发酵过程中产生的一种普诺尔成分，可以有效地防止脂肪堆积，抑制腹部脂肪增加，所以近年来黑茶在社会上流行甚广。

黑茶的品质

⊙湖北老青茶

湖北老青茶的主要产地在湖北南部的蒲圻、咸宁、通山、崇阳、通城等县，湖南省临湘县也有老青茶的种植和生产。老青茶采割的茶叶较粗老，含有较多的茶梗，经杀青、揉捻、初晒、复炒、复揉、渥堆、晒干而制成。以老青茶为原料，蒸压成砖形的成品称"老青砖"，主要销往内蒙古自治区。

鲜叶采割标准按茎梗皮色分，可将老青茶的品质分为3个等级：一级茶以白梗为主，基部稍带些红梗，即嫩茎基部呈红色；二级茶鲜叶的茎梗以红梗为主，顶部稍带白梗和青梗，成茶叶形成条，叶色乌绿微黄；三级茶为当年生红梗新梢，不带麻梗，成茶叶面卷皱，叶色乌绿带黄。

⊙湖南黑茶

湖南黑茶原产于湖南安化，现在已扩大到周边益阳、汉寿等地区。黑茶鲜叶采摘以新梢青梗为主要原料，不采一芽一二叶，可分为4个级别：一级以一芽三四叶为主，茶条索紧卷、圆直，叶质较嫩，色泽黑润；二级以一芽四五叶为主，条索尚紧，色泽黑褐尚润；三级以一芽五六叶为主，条索欠紧，呈泥鳅条，色泽纯净呈竹叶青带紫油色或柳青色；四级以对夹驻

梢为主，叶张宽大粗老，条索松扁皱折，色黄褐。

湖南黑茶的制造工艺包括杀青、初揉、渥堆、复揉、干燥5道工序，经蒸压装篓后称"天尖"，蒸压成砖形的是黑砖、花砖或茯砖等。高档茶较细嫩，低档茶较粗老。茶汤滋味浓醇，无粗涩味，具有松烟香。

⊙四川边茶

四川边茶生产历史悠久，分"南路边茶"和"西路边茶"两类。清朝乾隆年间，规定雅安、天全、荣经等地所产的边茶专销康藏，属南路边茶；灌县、崇庆、大邑等地所产边茶专销川西北松潘、理县等地，称西路边茶。

南路边茶采摘当季或当年成熟新梢枝叶，杀青之后，经过多次"渥堆"晒干而成。成品茶品质优良，经熬耐泡，是压制"康砖"和"金尖"的原料，最适合以清茶、奶茶、酥油茶等方式饮用，深受藏族人民的喜爱。

↓醇正浓郁的
普洱茶

将当年或 1 ~ 2 年生茶树枝叶采割杀青后直接晒干，即成西边路茶。西边路茶的鲜叶原料比南边路茶更粗更老。西路边茶色泽枯黄，是压制方包茶的原料。制造茯砖的原料茶含梗量约20%，而制造方包茶的原料茶更粗老，含梗量达 60% 左右。

⊙滇桂黑茶

滇桂黑茶顾名思义，是生长在云南和广西的黑茶的统称，属特种黑茶，品质独特，香味以陈为贵，在港、澳地区以及东南亚和日本等地有广泛的市场。

云南黑茶是用滇晒青毛茶经潮水渥堆发酵后干燥制成。这种茶条索肥壮，汤色明亮，香味醇浓，带有特殊的陈香，可直接饮用。以这种茶为原料，可蒸压成不同形状的紧压茶——饼茶、紧茶、圆茶等。

广西黑茶最著名的是六堡茶，已有 200 多年的生产历史。六堡茶制作工艺流程是杀青、揉捻、渥堆、复揉、干燥，制成毛茶后再加工时仍需潮水渥堆，然后蒸压装篓，堆放陈化，最后使六堡茶的汤味形成红、浓、醇、陈的特点。

⊙紧压茶

将黑毛茶、老青茶、做庄茶及其他适制毛茶经过高温、高湿与压

力，以蒸、压的方式加工成饼形、砖形、团形等状态的茶叶，称之"紧压茶"，主要销往边疆少数民族地区。紧压茶根据堆积、做色方式的不同，分为"湿坯堆积做色"、"干坯堆积做色"、"成茶堆积做色"等种类。其历史悠久，品种繁多，原料、加工方法也不尽相同。多数品种配用的原料比较粗老，风味独特，且具有减肥、美容等效果。

中国紧压茶产区比较集中，主要有湖南、湖北、四川、云南、贵州等省。目前，中国生产的紧压茶大多为砖茶。由于砖茶与散茶不同，甚为紧实，所以，用开水冲泡难以浸出茶汁，饮用时必须先将砖

→普洱饼茶

茶捣碎，在铁锅或铝壶内煎煮才可以饮用。

⊙名茶种类

普洱茶是以云南省的云南大叶种晒青毛茶为原料，经过后发酵加工成的散茶和紧压茶，是历史悠久的云南特有地方名茶。普洱外形色泽褐红，内质汤色红浓明亮，香气独特陈香，滋味醇厚回甘，叶底褐红。新普洱茶味道浓烈，刺激性强，而老的普洱茶由于陈放较久，能持续进行着自然发酵过程，茶性变得较温和无刺激。存放的时间越久，氧化程度越高，茶汤滋味越醇和，能促进血液的新陈代谢，不刺激胃，还能养生、助气、补气，甚至还有降血脂、瘦身、抗癌等功效。

因加工方法有所不同，普洱茶在严格意义上不是黑茶，但通常被人们归入黑茶种类。作为一种健康饮品，近年普洱茶开始在全国广泛流行，形成一股普洱热潮，成为黑茶类最著名、最典型的代表。由于普洱茶在一定时间内越陈越香、越陈功能越显著的特点，使得普洱茶升华为茶叶中具收藏鉴赏价值的古董，如储存保管得当，可储存多年仍能保持原有风味。其市场价值也随年份一路飙升，蔚为可观。

黑茶的制作

⊙杀青

由于黑茶（重后发酵茶）的鲜叶粗老，含水量低，杀青前要先对鲜叶进行洒水处理，利用水分受热形成蒸气来提高叶表温度，达到杀匀杀透的目的。

↑将各种花草放入绵纸袋中一起冲泡，不但口感独特，味道丰富，而且饮用起来十分方便。

黑茶杀青分手工杀青和机械杀青两种。手工杀青采取高温快炒，通常选用大口径铁锅，呈30°倾斜装置在灶台上，每次投放 4 ~ 5 千克鲜叶，双手快速翻炒至烫手，换用三叉状的炒茶叉斗炒，这就是通常所说的"亮叉"。待出现大量水蒸气后，双手执叉，转滚闷炒，俗称"握叉"。

机械杀青与绿茶大致相同，区别在于，当锅温达到要求时，先进行闷炒，再透炒，如此交替进行，至杀青适度方可。黑茶杀青使叶子变为暗绿色，青气消失，叶梗叶片变得柔软。

⊙初揉

杀青叶出锅后，为避免水溶性物质随水分蒸发和热的散失而凝固，叶片变硬，不利于外形塑造及叶细胞的破坏，应立即趁热放入揉捻机里揉捻。要遵循"轻压、慢揉、短时"的原则。每分钟 40 转为宜，叶温保持在 50℃ ~ 60℃。揉捻适度的嫩叶卷成条，老叶出现褶皱，叶汁附于表面，发散出淡淡的茶香。

⊙渥堆

渥堆是形成黑茶独特品质的关键工艺。渥堆要在洁净、无阳光直射的环境下进行，室温一般在 25℃ 以上，相对湿度控制在 85% 左右。将揉捻后的叶子堆积起来（通常一二级的叶子

需要解块,三四级的叶子不需解块),覆盖上湿布,以达到保湿保温的目的。中间要适时翻动一次。当茶坯表面出现热气凝结的水珠,发出浓烈的酒糟气味时,青气消失,叶色由暗绿变为黄褐色,茶团黏性减少,很易打散,则渥堆达到适度。渥堆过程中,茶叶内含物发生了一系列的化学反应,使黑茶的口感醇而不涩。

⊙干燥

黑茶干燥一般采用烘焙法。黑茶是在"七星灶"上旺火烘焙的,达到适宜温度时摊铺第一层茶坯,烘至七八成干时再摊铺第二层,厚度稍薄,照此摊放 5 ~ 7 层,待最表层达七八成干时,退火翻焙,即最上层和最下层翻转,使其均匀受热,干燥适度。由于水热条件使叶内多酚类化合物在热化作用下发生非酶性自动氧化(制茶上称后发酵),叶绿素遭到破坏,形成了黑茶色泽油黑、松烟香味的独特品质。

⊙压制

黑茶可直接泡饮,也可进行压制,是多种紧压茶的原料。压制是将初制好的毛茶通过加工、蒸压对其塑型。由黑茶压制而成的砖茶、沱茶、饼茶、六堡茶等,深受少数民族地区人们的喜爱。

花茶

花茶香气袭人，汤色明亮，叶底细嫩，最适宜清饮，或者加入适量蜂蜜，以保持其特有的清香。淡淡的芬芳，自然的口感，美丽的色泽，配以别透的玻璃茶具，让人立即沉浸在自然的田野气息之中，一整天保持快乐的好心情。

不同的花草配制成的花茶营养成分不同，有不同的保健功效。对于平时久坐办公室，缺乏运动的上班族来说，花茶是最天然的醒脑明目、提神保健的饮用选择。

花茶的制作

⊙原料

花茶是由精制后的茶坯和具有浓郁香气的鲜花窨制而成。茉莉花、代代花、玫瑰花、珠兰花、百合花、桂花等都可作为花茶的原料。质量上乘的花茶需要由当天采摘的成熟花朵制成。由于烘青茶的吸附力强，所以茶坯一般采用烘青绿茶，也有一些选用红茶和乌龙茶。

配合不同鲜花制成的茶叶还有不同的保健功效：茉莉花茶具减肥、润肠的作用；玫瑰花茶能调节气血、消除疲劳；菊花茶和金银花茶有清热解毒、疏风散热的效果等。

⊙窨制

花茶窨制是将精制的茶坯与鲜花充分混合、静置，使茶叶充分吸收花的芬香的过程。茶叶表面有很多具有吸附力的空隙，气味清新，能与花香有效结合。茶坯与鲜花都要创造一定的外部条件才能达到最佳的吸香和吐香状态。茶坯含水量超过20%时，就基本失去了吸附能力；若含水量太低，则容易造成干燥，一般含水量为5%时，作用能力最强。

窨制前要对茶坯进行筛选和干燥，使其品质和湿度达到理想状态。鲜花

↓窨制茉莉花茶

吐香也需适宜的温度促进，所以窨制期间，要适时翻拌茶堆，降低内部温度，使空气流通。至花朵开始萎蔫，茶坯柔软，窨制基本完成，要注意筛去花渣。根据茶香的需要和成茶等级的不同，还可进行多次窨制。

⊙干燥和冷却

在窨制过程中，茶坯不仅吸收了花的香气，同时也吸收了一定的水分，这就要求在窨制后要对其进行干燥处理，防止霉变，利于储存。干燥后将花茶摊放，待其自然冷却，至此完成花茶的主要制作工序。

花茶的冲泡

⊙适用茶具

花茶种类不一，不同的花茶所选用的茶具也有不同的讲究。对于高档花茶，其品质特色和绿茶相似，茶叶在水中形态各异，袅娜多姿，所以可用无花透明玻璃杯冲饮，以便于欣赏其"茶舞"之翩跹。还可选用白瓷盖碗或带盖的瓷杯，以防止浓郁的花香散失。

普通低档花茶，则宜用较大的瓷壶冲泡，可得到较理想的茶汤，保持

■揭盖续水的来历■

在茶馆或茶楼饮过盖碗茶的人都知道，当你喝完茶需要续水的时候，只需把碗盖揭开放在一边，服务人员看见了就会来为你续上沸水。后来这种习俗也延伸到用茶壶饮茶。

这一饮茶习俗始自清朝，有一位富家公子，因是朝中重臣的亲戚而仗势欺人。一天，这位公子到茶馆饮茶，因为刚刚斗鸟赌输了而故意捣乱，设下骗局。他将小鸟放进一只盖碗，让堂倌为他冲茶，堂倌一揭碗盖，小鸟一飞冲天，于是他声称这小鸟价值3000银元，要茶楼老板3日之内赔给他。有民间侠士听闻此事，出面打抱不平才将此事平息。后来，茶楼老板为了避免再生事端，便定下规矩：凡饮茶者需要续水，请自行把碗盖揭开。从此，这一店规逐渐在同行之间传播开来。

香味。较大的壶盛水多，散热慢，因此要选耐烫的茶杯。还有一种造型工艺花茶，除了普通玻璃杯外，还可以用鸡尾酒杯来泡制，更加凸显时尚。

⊙水温

花茶可用刚刚沸腾的开水来冲泡，水温在85℃~95℃为宜。水温偏低会影响花茶的香气和滋味，水温太高又会把茶中的"花"烫蔫。高档名优花茶的品饮虽以香气为重，但其形也有很高的欣赏价值。透过玻璃杯欣赏干花在沸水中精美别致的翩翩飞舞、落英缤纷，也是不容错过的品茶乐趣。泡茶时，要先用温水将茶浸润一下，可使茶汁更容易释放，然后再冲入沸水。

⊙置茶量

花茶的茶水比例在1:40~1:60之间。花茶有单一材料及混合材料的两种冲泡方式。单一的花茶材料，如用500毫升的沸水来冲泡，应取分量为5~10克；混合式的花茶，则每一种材料各取2~3克。如果用杯泡，茶叶用量可以稍减；用壶泡时，茶量稍多些。优质的茶叶用量

可以少些，中低档茶用量要增多，以保证香气和口感。

⊙闷泡

冲泡花茶时，注入沸水后一定要加盖，以免茶香散逸。热气集中在杯内，加速花香的释放，闷泡时间约3~5分钟，有的品种可以闷泡5~8分钟，让花更加出味。花茶的冲泡次数以2~3次为宜，一开茶饮后，留汤1/3时续加沸水，为之二开。如是饮三开，茶味已淡，香气流失，不再续饮。

↓白瓷冲泡花茶显得非常别致、典雅。

⊙闻香

花茶吸附了鲜花的芬芳香气，以馥郁的花香为贵，品茶时重在闻香。闷泡过之后，打开杯盖，随着热腾腾的水雾，浓郁的花香混合了茶香，立时扑面而来，茶味与花香巧妙融合，相得益彰。这种香气纯正鲜活，如同给予杯中茶水之灵动的精神，令人心旷神怡，未尝先醉。有兴趣者，还可凑着香气做深呼吸，充分领略愉悦香气，称为"鼻品"。

茉莉花香被誉为花茶中春天的气息，有提神功效，可安定情绪、舒解郁闷。

⊙细品

花茶需要品，所谓的"品"，很有含义，其字形是由三个"口"组成，所以喝三口茶才是真正的品。品茶要在茶汤稍凉适口时，小口啜入，在口中稍事停留，以口吸气、鼻呼气相配合的动作，使茶汤在舌面上往返流动一两次，充分与味蕾接触，品尝茶味和汤中香气后再咽下，如此一两次，才能尝到名贵花茶的真香实味。此味令人神醉，正如古人所云"香于九畹芳兰气"、"草木英华信有神"。

好的花茶需要色、香、味俱全，通过三开茶汤的鼻闻、口尝和领略茶味的适口与否以及香气的生动，才能最终品饮出花茶的真味。

名茶篇

三之造

凡采茶，在二月、三月、四月之间。

茶之笋者，生烂石沃土，长四五寸，若薇蕨①始抽，凌露②采焉。茶之芽者，发于丛薄③之上，有三枝、四枝、五枝者，选其中枝颖拔者采焉。

其日有雨不采，晴有云不采；晴，采之。蒸之，捣之，焙之，穿之，封之，茶之干矣。

茶有千万状，卤莽④而言，如胡人靴者，蹙缩⑤然；犎牛臆者，廉襜⑥然；浮云出山者，轮菌⑦然；轻飙拂水者，涵澹⑧然；有如陶家之子罗膏土以水澄泚之；又如新治地者，遇暴雨流潦之所经。此皆茶之精腴。有如竹箨者，枝干坚实，艰于蒸捣，故其形籭簁然；有如霜荷者，茎叶凋沮，易其状貌，故厥状委萃然。此皆茶之瘠老者也。

①薇，蕨：薇科，一年生本草，叶尖端卷曲如旋涡。蕨科，地下茎甚长，春时出嫩叶，其端卷曲如拳。

②凌露：趁着或迎着露水的意思，也就是凌晨的时光。

③丛薄：指灌木、杂草丛生的地方。

④卤莽：这里作粗略解。

⑤蹙缩：褶皱的意思。

⑥廉襜：廉，棱的意思。襜，整齐的样子。

⑦轮菌：屈曲的意思。

⑧涵澹：沉静的意思。

茶的制作

采茶适宜在二月、三月或四月进行。

肥厚的芽叶，通常生长在含有碎石的土壤中，有几厘米长，如同刚刚抽芽的薇、蕨等植物，清晨芽叶上还带着露水时采摘最好。略为瘦小的芽叶，多生长在草木丛中，有并发三枝、四枝、五枝的，挑选颖片茂盛的采摘。

采摘的日子要注意雨天不采，晴天有云时也不采；只有晴天采摘为好，当天将采摘的芽叶蒸、捣、烘烤、穿起、封存、晾干。

茶饼的外貌有千万种，粗略地说，有的像胡人皮靴，皱纹很多；有的像野牛胸部，棱角整齐；有的像浮云山出那样卷曲；有的像轻风拂水，微波荡漾；有的像陶工的澄泥；又有像新开垦的土地被暴雨冲刷过似的。这些都是精美的高档茶。有的像笋壳，枝梗坚硬，很难蒸捣，形状像有孔的筛子；有的像霜打过的荷叶，茎叶凋败，已经变形，外貌干枯瘦薄。这些都是粗老的低档茶。

江南名茶

　　江南茶区是中国的四大一级茶区之一，年产量大概占全国总产量的 2/3。生产的茶类主要有绿茶、红茶、黑茶、花茶及各种特种名茶，比如西湖龙井、黄山毛峰、洞庭碧螺春、君山银针、庐山云雾等。"名山出名茶"在这里得到了集中的体现，但凡一种名茶，无一不有历史，无一不有名胜，更无一不有文化背景和历史传说。或者江南名茶就是因为江南的"千山千水千才子"而风流婉致，名茶通过名人的品饮而更加卓著，名人更在名茶之中淡泊明志，茶与人相得益彰，甚至可以说江南才是中国茶文化的滥觞。

江南茶区

⊙区域范围

　　江南茶区位于长江中下游以南，石溪、大樟溪、梅江、连江以北，包括浙、湘、赣、苏和皖南、鄂南、闽东北等地区，是目前中国绿茶生产最集中的茶区。

⊙地理特征

　　江南茶区大多集中在低矮的丘陵地区，也有一些海拔较高的高山。土壤主要是红壤和黄壤，也有少量的冲积壤。

　　茶区气候四季分明，全年平均气温 15℃ ~ 18℃，冬季绝对最低气温在 -8℃左右。年降水量 1500 毫米左右，有 60% ~ 80% 集中在春季和夏季，秋季则较为干旱。该茶区是种植绿茶、红茶、黄茶和黑茶等茶类的适宜地域。

⊙茶树品种

　　江南茶区的茶树以灌木型中叶种和灌木型小叶种为主，还包括少部分的小乔木型中叶种和小乔木型大叶种。其中小乔木型中叶种茶树，植株中等大小，树姿呈半展开状，分枝比较密集。

龙井虾仁

　　采用清明前的龙井新茶与新鲜的河虾烹制而成的"龙井虾仁"，清香鲜嫩，营养丰富，雅致独特，是一道具有浓厚地方风味的杭州名菜。相传，乾隆微服出访来到杭州一座酒楼，因时值清明，于是将随身带的龙井新茶让店里的伙计冲泡。细心的伙计看到乾隆内着的龙袍露出一角，紧张地告诉正在烹调虾仁的老板，老板惊慌地将伙计手中的茶叶当做葱花撒到锅里，没想到乾隆尝过这道菜后，连连称好，从此这道菜肴便流传了下来，直到今天。

⊙特产名茶

江南茶区是中国绿茶产量最多的产区，其中有很多名茶都以其原产地命名。

如产于浙江杭州西湖山区的西湖龙井、湖州市长兴县顾渚山的顾渚紫笋、以惠明寺一带为主要产区的惠明茶和余杭县径山的径山茶。

江苏省有产于吴县洞庭山区的洞庭碧螺春、连云港市花果山的云雾茶、南京雨花台的雨花茶、无锡市的无锡毫茶。

此外还有江西庐山的云雾茶、婺源县的婺源茗眉、湖南君山岛的君山银针、安化县的安化松针、高桥茶园

的高桥银峰以及湖红功夫、安徽黄山的黄山毛峰、祁门县的祁门红茶等。

西湖龙井

⊙饮誉世界的"国茶"

西湖龙井茶的历史最早可追溯到唐代，当时著名茶圣陆羽所撰写的《茶经》中就有杭州天竺、灵隐两寺产茶的记载。

北宋时期的龙井茶区已初具规模，南宋时期的杭州成了国都，茶叶生产得到进一步发展。元代起，西湖龙井地区因风光幽静，且有甘泉香茶而广受文人雅士的推崇。到了明代，西湖龙井茶开始走出寺院，为普通百姓所

饮用，此时的西湖龙井茶已是声名远播，被列为中国名茶之一。清代的乾隆皇帝4次到龙井品茶赋诗，并将胡公庙前的18棵茶树封为"御茶"，之后，西湖龙井一直是清朝皇室的贡品。

至民国初期，西湖龙井茶的种植已遍布西湖湖西、湖南各处，形成了"狮、龙、云、虎"4个主要的龙井产地。至此，西湖龙井茶成为中国名茶之首，驰名中外。

⊙ 孕育名茶的环境

茶区得天独厚的生态环境是培育名优茶品质必不可少的条件。龙井茶区主要分布在浙江杭州西湖西南侧的

狮子峰、龙井、灵隐、五云山、虎跑、梅家坞一带。这里山峦叠翠，古树参天，四季分明，温度适宜，湿润多雾。茶区土壤为厚度适中、质地疏松、通透性好的微酸性沙质土壤，有机层深厚，养分充足，排水良好，施肥效果显著。茶树在这样优越的地理条件和良好的生态环境中可以持续平稳地生长，为充足的产量和优良的品质打下基础。

如龙井村茶园所在位置四周有天竺峰抵御寒潮，温和湿润的南风在此徘徊，著名的九溪十八涧保证了优良的灌溉，使龙井茶可谓占尽天时地利，在生长过程中已有绝对的优势。

⊙ 龙井泉

龙井泉，又名龙泓、龙湫，位于杭州西湖西面的风篁岭上，是一个裸露型岩溶泉。泉水出自山岩，水味甘澄，清如明镜，大水不溢，大旱不涸。传说古时候每逢干旱，人们就到此求雨，非常灵验，遂以为此井与海相通，因海中有神龙，故名"龙井"。龙井的水非常奇妙，搅动它的时候，会看到水面上有一条分水线，就像游丝一样不

名茶档案

西湖龙井

主要特征 绿茶的一种，产自浙江杭州。外形光扁平直，色翠略黄如同糙米色，香气幽雅清高，滋味甘鲜醇和。

适用茶具

冲泡建议 水温80℃～85℃，可冲泡3～4次。

断摆动，被形象地比喻为"龙须"。

⊙三大品类

因产地生态条件和炒制技术的不同，把西湖龙井归为"狮峰龙井"、"梅家坞龙井"、"西湖龙井"3个品类。

"狮峰龙井"色泽略黄，香气高锐持久，口感鲜醇；"梅家坞龙井"叶质肥嫩，但香气较"狮峰龙井"为淡；"西湖龙井"色泽翠绿，外形挺秀。3个品类中以"狮峰龙井"品质为最佳，堪称茶中极品。

⊙绝品"莲心"

龙井附近的茶农，一年到头柴米油盐的开销几乎靠的就是一季春茶。春茶共分为4个档次，惊蛰过后至清明之前采的头春茶，称之为"明前茶"，其茶嫩芽初绽，形如莲心，故又称之为"莲心"。制作"莲心"，一般要2千克以上的青叶（又称"草子"）才能炒制出500克干茶，而一个熟练的采茶姑娘，一天最多只能采摘600克嫩芽。可见明前"莲心"实乃珍品中的极品。

⊙雨前茶

"雨前茶"是"谷雨"这个节气之前所采制的龙井茶。通常谷雨之前，正是茶树长至一叶一芽的时候，俗称"旗枪"，用来制作龙井茶最为香醇。胡

峤有诗云："玉髓晨烹谷雨前，春茶此品最新鲜。"谷雨过后，春茶的茶质就变差了。

⊙三春茶

"立夏"之前采"三春茶"，此时茶叶发育较大，茶芽旁边有附叶两瓣，形似雀舌，所以常以"雀舌"相称。此时的茶叶品质已较"莲心"和"旗枪"相去甚远，一般只是为了追求茶叶产量才将采制时限延至立夏。

⊙回春茶

回春茶又叫"四春茶"，是指在"三春茶"后1个月才开始采制的茶叶。此时茶的叶子已经成片，并附带有茶梗，所以茶农也称之为"梗片"。通常"梗片"已不再被用来加工成绿茶，过去，这种茶是茶农后代用来练习炒茶技术的，现在则通常被加工成"袋泡茶"或瓶装茶饮料。

⊙制作原料的级别标准

西湖龙井的级别曾经格外复杂，最多时分为11级，共53等，之后国家标准不断简化，从1995年以后开始只设特级和1~4级，同时规定了浙江龙井分为特级和1~5级，并且与西湖龙井的标准所规定的品质水平在同级范围内，品质相当。

⊙独特的工艺

绿茶的制作一般都要经过采、晾、揉、炒等数道工序，龙井茶外形的"扁、平、光、滑"以及"色、香、味"等独特的品质，就得益于精湛的炒制技术和独特的加工工艺。

首先，采摘茶叶不能掐，而是用"拔"更合适一些。据说古代进贡朝廷的茶叶，是采茶姑娘用双唇衔采下来的，因为掐下来的茶叶，其掐痕在制成茶叶后是去不掉的。采摘时间则是以早为贵，茶农们都常说："茶叶是个时辰草，早采三天是个宝，迟采三天变成草。"龙井茶的采摘次数多，采收时要采大留小，分批采摘。春茶天天采或隔天采，之后隔几天采一次，全年共采摘30次左右。

采收回来的嫩叶要及时摊晾，目的是去掉茶叶中残余的刚性，散发青气，增加氨基酸含量，有利于成品茶

的茶香增进、苦涩减少、色泽翠绿光洁，品质提高。摊晾要求避免阳光直晒，对温度和湿度也有一定的讲究，因此多在室内进行。

摊晾 8 ～ 10 个小时后，需将鲜叶筛分成大、中、小 3 个档次，采用不同锅温、不同手势分别进行炒制。

由于龙井茶的形状要求保留一部分自然的刚性，成型后仍能看到部分青叶的原状，因此揉捻工艺被弱化，在炒制过程中完成。

⊙ 极品龙井的炒制

龙井茶的制作流程与绿茶基本相同，形成其优异品质的关键就在于其复杂精湛、独具特色的炒制技术。由于机械化炒制的技术不过关，炒制出来的龙井茶外形粗糙，内质不佳，失去了传统茶的醇厚风味，只能作为中低档龙井茶。因此，为了保证成茶的品质，特等和上等龙井仍采用传统的手工炒制方法，且级别越高，锅温越低，投叶量越少，炒制的手法也越轻。

龙井茶的炒制手式共有"抓、抖、搭、拓、捺、推、扣、甩、磨、压"，被称为"十大手法"。通过不断变化手法，让茶叶变得松软，控制鲜叶的湿度，使茶叶扁平挺直、表面光滑，完好地保留香气等，最终形成龙井茶扁平光滑、均匀翠绿、香气浓郁持久、口感甘醇的外形内质。

炒制的过程分为青锅、回潮、辉锅 3 个阶段。"青锅"主要用来初步定型；茶叶被炒至七八成干后，要进行大约 1 个小时的"回潮"工艺；之后通过"辉锅"阶段完成最后的炒干和定型。

⊙ 新茶的鉴别

龙井茶以新为贵，只有品尝到真正的新龙井才能领略其清香馥郁、醇厚鲜爽的卓越风姿。茶叶在储存过程中多少会受到光照、氧气、温度、湿度等的影响，发生分解、挥发或氧化。特别是绿茶中所含叶绿素的分解使茶叶变得枯色晦暗，失去新鲜光泽，同时茶褐素的增加，会使茶汤变得混浊发黄。茶叶的香气经过长时间的不断挥发，也会从清香高长逐渐变得低沉混浊。

取 3 克龙井放入玻璃杯中冲泡，大概 3 分钟后仔细观察，新茶芽叶鲜绿如出水芙蓉，陈茶色泽暗淡、叶张枯瘦。陈茶呈现滋味的有效物质被氧化后挥发减少或缩合，茶汤淡而无味，与新茶冲泡出的醇厚清香有着天壤之别。

黄山毛峰

⊙天地精华

黄山毛峰，又名黄山云雾茶，属绿茶烘青类，是中国十大名茶之一。该茶外形微卷，仿佛雀舌，绿中带黄，银毫毕显，带有金黄色鱼叶，因此称为"黄金片"。茶叶身披白毫，芽尖峰芒，源于黄山高峰，所以被命名为黄山毛峰。黄山毛峰主要产于安徽黄山风景区和相邻的汤口、充川、芳村、岗村、扬村、长潭一带。

黄山为中国东部的最高山峰，素以奇、险、深、幽而闻名于世。黄山毛峰茶园就分布在海拔1000米左右的半山周围，或分布在坡度达30°~50°的高山深谷中。那里气候温和，雨量充沛，空气湿润，日照时间短，土壤肥沃且呈酸性，质地疏松，具有良好的透水性，磷钾和有机质含量也十分丰富，适宜茶树生长。正是这种优越的生态环境，为黄山毛峰自然品质的形成创造了极其良好的条件。

⊙采制工艺

黄山毛峰的采摘细致，制作讲究，根据成茶等级的不同，用料和制作方法也略有不同。首先，开采于清明前后的特级毛峰，采摘标准是一芽一叶初展。一至三级黄山毛峰在谷雨前后开始采摘，一级毛峰的采摘标准分别

为一芽一叶和一芽二叶初展；二级毛峰和三级毛峰的标准依次为一芽一二叶和一芽二三叶初展。为了保证成茶的品质，毛峰全部要求上午采的下午制，下午采的当晚制，不能过夜。

经过剔拣和摊晾的嫩叶主要有3道制作工序：杀青、揉捻和烘焙，各级毛峰都采用传统手工制作。杀青的要求有：单手翻炒，手势要轻，翻炒要快，扬得要高，撒得要开，捞得要净。炒至芽叶柔软，光泽退去，青气散失，茶香显露即可。特级和一级原料杀青适度时，继续在锅内进行轻揉和理条；二三级原料杀青后立即起锅，散热、轻揉。揉捻时掌握宜慢不宜快、宜轻不宜重、边揉边抖的诀窍，以保持芽叶的完整，并使白毫显露，色泽绿润。烘焙分为初烘、足烘和复火3个部分，边烘边翻，且翻叶要勤，摊叶要匀，操作要轻，火温要稳。前两次烘焙之间摊晾一次，最后复火一次，起锅后趁热装入铁筒，封口储存。

⊙等级的划分

黄山毛峰的等级可以划分为四级：特级、一级、二级和三级。

特级黄山毛峰应在清明前后采制，采摘芽头壮实、茸毛多的用于制成特级茶。特级黄山毛峰堪称中国毛峰之极品，其形似雀舌，细嫩卷曲，峰显毫露，色如象牙，鱼叶金黄。冲泡后，汤色清澈明亮略带杏黄色，香气清新馥郁似白兰，沁人心脾回味甘甜。

一级毛峰，外形芽叶肥壮，较匀齐，显毫，色嫩绿润，冲泡后口感清香，汤色嫩绿，滋味鲜醇。二级毛峰芽叶较肥嫩，形较匀整，显毫，条稍弯，色泽绿润。三级毛峰芽叶尚且肥嫩，但条略卷曲。二级和三级毛峰的香气、口感、汤色较特级和一级毛峰略为逊色，但相差不多，不易分辨。

⊙特级毛峰的鉴别

特级黄山毛峰色似象牙，带有金黄色鱼叶，俗称"茶笋"或"金片"；条索细扁，形似"雀舌"，茶芽肥壮、均匀齐整、多毫；香气清鲜高远；滋味鲜浓、醇厚，回味甘甜，汤色清澈明亮，叶底嫩黄肥壮，匀亮成朵。其

名茶档案

黄山毛峰

主要特征 绿茶的一种，产自安徽黄山。形似雀舌，油润光滑，冲泡后芽叶直立徐徐下沉，香气如兰，滋味醇爽回甘。

适用茶具

冲泡建议 水温80℃～85℃，可冲泡4～6次。

典型特征可概括为：香高、味醇、汤清、色润。其中，"鱼叶金黄"和"色似象牙"是鉴别特级毛峰的主要特征。

⊙杯中景象万千

取茶3～5克，以80℃～90℃水温冲泡，玻璃杯或者白瓷茶杯皆可。先投茶，然后注入1/3杯水，待3分钟左右，茶叶舒展之后再将水加足。一般可续水冲泡4～6次。品质佳的毛峰茶冲泡后，雾气凝顶，芽叶竖直悬浮于汤中，之后徐徐下沉，芽挺叶嫩，景象万千，茶汤清澈，叶底明亮，嫩匀成朵。更有趣的是，用黄山泉水冲泡黄山毛峰茶，茶汤经过一夜，第二天也不会在茶杯中留下痕迹。

洞庭碧螺春

⊙皇帝赐名

碧螺春又称"吓煞人香"，产于水汽升腾、雾气悠悠的江苏省吴县太湖的洞庭山碧螺峰，是中国十大名茶之一。

很多品饮过碧螺春的人，都会为它的嫩绿隐翠、清香幽雅和绝妙韵味所倾倒，但很少有人知道其名称的由来。清王彦奎《柳南随笔》有如下记载："清圣祖康熙皇帝，于康熙三十八年（1699）春，第三次南巡驾幸太湖。巡抚宋荦从当地制茶高手朱正元处购得精制的'吓煞人香'进贡，帝以其名不雅驯，题之曰'碧螺春'。"这就是碧螺春雅名的由来。

后人评价说："此乃康熙帝取其色泽碧绿，卷曲似螺，春时采制，又得自洞庭碧螺峰等特点，钦赐其美名。"

⊙品相的甄别

碧螺春一般分为7个等级，芽叶随级数升高逐渐增大，茸毛逐渐减少。同时，炒制时的温度、放入茶叶的数量、炒制力度等，与级别成反比，即级别高锅温低，放入茶叶量少，做形时用力较轻。

上等的碧螺春，银白隐翠，条索细长，卷曲成螺，身披白毫，冲泡后的汤色碧绿清澈，香气浓郁，滋味鲜醇甘厚，回甘持久。

⊙天然芬芳香百里

碧螺春主要产于江苏省吴县的洞庭东、西两山，该区域是中国著名的茶、果间作区。洞庭东山是一个伸进太湖的半岛，洞庭西山是一个屹立在湖中的岛屿，两山年平均气温15.5℃～16.5℃，年降雨量1200～1500毫米，空气湿润，土壤呈微酸性或酸性，且质地疏松，极为适宜茶树和果树的生长。

茶树和桃、李、梅、橘、柿、杏、白果、石榴等各种果树交错种植，青葱翠绿的茶树紧紧密排就像守卫的士兵，满山遍野的果树"蔽覆霜雪，掩映秋阳"。茶树和

果树在地上枝叶相连，地下也根脉相通，茶吸果香，因此熏陶出碧螺春花香果味的独特香气。正是："入山无处不飞翠，碧螺春香百里醉。"

⊙炒制的技巧

目前，碧螺春大多采用手工方法炒制，其工艺过程是：杀青、炒揉、搓团、焙干。这些工序在同一锅内一气呵成，其炒制特点可以总结为："手不离茶，茶不离锅，揉中带炒，炒中有揉，炒揉结合，连续操作，起锅即成。"

杀青：当锅温达到200℃左右时，将茶叶投入锅中，以抖为主，辅以双手翻炒，3～5分钟。

揉捻：要求锅温达到70℃以上，抖、炒、揉3种手法交替，即边抖、边炒、边揉，这样随着水分的蒸发，茶叶条索渐渐形成。

搓团：当茶叶达六七成干时，大约在15分钟后，锅温在50℃～60℃时开始搓团。

显毫：这道关键的工序要求在炒制时将全部茶叶揉搓成无数个小球，不时抖开，如此反复，直至搓成条形卷曲、茸毫显露。

烘干：要求锅温在30℃～40℃，且当茶叶达八成干时，采用轻揉、轻炒手法，以达到固定形状、蒸发水分的目的。茶叶达到九成干时，把茶叶摊放在桑皮纸上，然后再连纸放在锅上用文火烘干，整个炒制过程大约历时40分钟。

名茶档案

洞庭碧螺春

主要特征 绿茶的一种，产自江苏苏州。条索紧结，卷曲如螺，银绿隐翠，白毫毕显，冲泡后如白云翻滚，清香袭人，回味绵长。

适用茶具

冲泡建议 水温70℃～80℃，可冲泡3次。

↑炒制碧螺春对于火候的把握要求非常严格。

顿时出现"雪浪喷珠"的场面；其后芽叶全部沉入杯底，杯底一片碧绿，好似"春染海底"，但此时茶汤尚无茶味；只有将水倒掉2/3时，才闻茶香袭人，这时再冲入滚水，茶叶则完全展开，渐渐舒展成一芽一叶，水色淡绿如玉，呈现"绿满晶宫"的景象。

此时茶色、香、味、形俱达到最佳状态，茶汤清冽，茶香清新，味道甘爽。先观其形，而后细品之，可以发现头酌汤色清淡，味幽香鲜雅；二酌汤色翠绿，味道芬芳醇美；再酌汤色碧清，香郁回甘。

⊙一嫩三鲜

碧螺春的品质优异，尤其是它的"四绝"——形美、色艳、香浓、味醇，更是闻名世界。在清末震钧所写的《茶说》中有这样一段说明："茶以碧萝（螺）春为上，不易得，则苏之天池，次则龙井；舨枭源……次六安之青者（今六安瓜片）。"由此可见，碧螺春在历史上就曾位居众茶之首。

碧螺春的品质特点是：条索紧细重实，似螺旋形卷曲，茸毛披覆，香气浓郁，滋味甘醇，汤色清澈碧绿，叶底嫩绿明亮，素有"一嫩三鲜"之称。当地茶农将碧螺春生动地描述为："铜丝条，蜜蜂腿，香果味，浑身毛。"

⊙特殊的品饮方法

碧螺春宜采用细腻的白瓷杯或透明纯净的玻璃杯，先放入70℃～80℃的温开水，然后取少量茶叶投入水中，

⊙储存方法

如果新茶买回后不能短期内饮用完，为保证碧螺春原有的品质，家庭储藏也要讲究方法。传统的储藏方法是用纸将茶叶包裹起来，将块状的石灰装入袋中，起到吸湿的作用，与茶包一起间隔放入缸中，加盖密封储藏。由于这种方法使用起来并不方便，近年来已经不被人们所采用了。

如今大多采用3层塑料保鲜袋包装的方法，分层紧扎以隔绝空气，在10℃以下的冷藏柜或冰箱内储藏，即使久贮仍能保持碧螺春的色、香犹如新茶，冲泡后味道依然鲜醇爽口。

庐山云雾

⊙茶树的起源

千古文化名山庐山所出产的云雾茶，以其香爽持久，醇厚而甘甜，历来被茶人视为珍品，是中国十大名茶之一。庐山自古是宗教名山，佛教极盛，曾有"山上名蓝五百寺"之说，且寺庙多枕山冈，适宜种茶。

传说庐山茶最早为野生茶，后来晋代东林高僧慧远将其发展为人工种植，并以寺中自种的庐山云雾茶款待田园诗人陶渊明及著名隐士刘程之等，写下一段"话茶吟诗，叙事谈经，通宵达旦"的佳话。其后各寺僧侣"攀危崖，越飞泉，竞野茶"，在白云深处，劈崖填谷栽植茶树，采制茶叶，庐山云雾茶自此在世间流传开来。

⊙汉始宋兴

庐山种茶，历史悠久。早在汉朝时，这里已种有茶树。东晋时庐山就是佛教中心之一，当时的名僧慧远，在山上居住期间聚集僧众，广播佛学，并闲时在山中开辟茶园。唐朝时庐山茶已经远近闻名，唐代诗人白居易曾写下诗篇："长松树下小溪头，斑鹿胎巾白布裘。药圃茶园为产业，野麋林鹳是交游。"

在宋朝时，庐山已有洪州鹤岭茶、洪州双井茶、白露、鹰爪等名茶。北

图解中国茶经

名茶档案

庐山云雾

主要特征 绿茶的一种，产自江西庐山。条索紧结肥厚，白毫显露，光滑隐翠，冲泡后形如兰花舒展，清香高长，醇爽甘鲜。

适用茶具

冲泡建议 水温80℃～85℃，可冲泡4～5次。

宋诗人黄庭坚的诗"我家江南摘云腴，落磑霏霏雪不如"，由此隐约可推测出宋朝已有云雾茶了。

在明代的《庐山志》中，庐山云雾茶的名称已经出现。由此推出，庐山云雾茶的历史已有四五百年了。

⊙加工工艺

由于独特的地理条件和气候环境，制作庐山云雾的茶树生长缓慢，成熟晚，茶芽在谷雨之后才开始萌发，因而云雾茶的采摘较其他茶叶品种晚一些，一般根据茶园地势海拔高度的不同，在谷雨和立夏之间开园采摘。采摘标准为一芽一叶初展，采收回来后

即摊于阴凉通风处，4～5个小时后开始炒制。

制作工艺共分为杀青、抖散、揉捻、复炒、理条、搓条、拣剔、提毫、烘干、摊晾10道工序。其中，杀青、复炒、理条和搓条均在锅中进行，需要特别注意锅温的控制。茶叶炒至八成干时，将杂质、碎茶、茶梗等剔拣出来，然后将茶叶握在手中，微微用力使茶条在掌中相互摩擦，芽叶上的茸毛竖起，显露出茸密的白毫，这道工序被称为"提毫"。最后将茶叶烘至含水量为5%～8%时，稍微摊晾即可。

⊙色香幽细比兰花

庐山云雾茶芽肥毫多，条索紧凑，茶色绿润，香气悠扬，汤色清亮，滋味醇厚回甘，叶底嫩绿，以"味醇、色秀、香馨、液清"四绝而闻名，被评为绿茶中的精品。云雾茶茶味浓郁，甘美清爽，酷似龙井，但比龙井更加醇厚清新；汤色明亮，近似于普洱，却较之更加清爽。

由于庐山云雾弥漫、阴湿多雨，且大多数季节的早晚温差大，因此茶树生长缓慢，各种内含物含量增多，不但有益健康，香气也格外出众。《采茶谣》中用"色香幽细比兰花"，来赞美云雾茶，也有人喻其为"雾茶吸尽香龙脑"，足见其馥郁芳香给人们留下的深刻印象。

⊙好水泡好茶

古谚曾有"龙井茶，虎跑水"、"蜜溪水、神潭茶"的说法，证明自古泡茶就十分讲究茶叶与水的搭配。陆羽曾在其名著《茶经》中说道："其水，用山水上，江水中，井水下。"即是说：用庐山中的山泉水冲泡最能体味庐山云雾茶独有的清香淡雅，江河之水次之，井水最为不宜。

⊙声名远扬

品饮着杯中的庐山云雾茶，很多人都会联想到，老一辈革命家朱德同

志当年在庐山品得此茶时，有感而发，即兴作诗赞誉云雾茶的品质："庐山云雾茶，味浓性泼辣。若得长时饮，延年益寿法。"

如前所述，庐山中凉爽多雾、泉水流淌、日光直射时间短、昼夜温差大等优越的自然条件，造就了庐山云雾茶叶肥、毫多，富含茶多酚、芳香油、生物碱和维生素等营养成分的特点。因此，庐山云雾茶不仅具有香高持久、浓郁甘醇的特色，还具有帮助消化、杀菌解毒、怡神解泻、延年益寿的特殊功效。自1951年进入国际市场以来，云雾茶长期销往港澳地区、日本、韩国、英国、德国、美国等众多国家和地区，深受各国人民的认可和欢迎。

⊙品质的鉴别

庐山云雾茶外形好似兰花，芽壮成朵，形如兰花初绽，汤色鲜亮，香味浓郁耐泡，叶底碧绿成朵，舒展从容。鉴别其优秀的品质一般从以下几个方面判断：外形紧结圆直，显毫，即茶叶卷紧而结实，挺直显锋，造型秀美，同时披满茸毛；色泽碧绿而鲜活，油润而富有光泽；香气高而持久；茶汤绿中泛着微黄，鲜艳清透；味道鲜洁爽口，富收敛性；叶底色泽浅绿微黄，明亮匀齐，老嫩、大小、厚薄等均匀一致。

太平猴魁

⊙依山傍水的茶园

中国十大名茶之一的"太平猴魁"是中国的极品名茶。这种茶产于黄山脚下、太平湖畔，尤以猴坑高山茶园所采制的尖茶品质最为出众，因此称为"猴魁"。

太平猴魁优越的产地自然条件，使其保持长盛不衰。茶园大多坐落在海拔500～700米以上的山岭上，面积较大的有凤凰尖、九龙岗、五里培、狮形尖等。"猴岗"一带更是云海缥缈，翠峰叠嶂，登高远眺，依稀可见美丽

主要特征 产自安徽黄山。外形挺直扁平，肥厚壮实，全身白毫，叶色苍绿光润，叶脉绿中隐红，冲泡后形如花朵，具有特殊的兰花香和独特"猴韵"。

适用茶具

冲泡建议 水温85℃～90℃，可冲泡3次以上。

的"黄山伴侣"——太平湖。这里山高林密，鸟语花香，肥沃的土质和湿润凉爽的气候，滋养着这里的茶树。在树香、花香的熏染下，使得"太平猴魁"的品质在众多茶类中独树一帜。

⊙传奇的"猴茶"

关于太平猴魁的发现在太平百姓中流传着一个神奇的传说。古时候，太平县的猴坑村有一座凤凰山，山势险峻，无路可攀，因此从来没有人上过山，人们只是远远看到山上住着一大群猴子，成群结队地在崖壁缝隙之间攀缘，猴坑村也由此而得名。每年春天，随着徐徐清风的吹送，山下的村民们时常能闻到阵阵清香，只是不明缘故。随着时间的推移，人们慢慢发现原来是山上的茶树萌发香气，于是便开始驯化猴子，利用其善于模仿的习性，教其采茶，每到春天来临便将猴子放上山去，颇通灵性的猴子竟能将鲜嫩的芽叶采回。人们用这些材料制出的茶香气诱人，滋味鲜醇，很快就远近闻名，流传开来。

⊙采摘的讲究

太平猴魁的采摘十分讲究，一般在谷雨前后开园，立夏前停采，每3～4天采一批。采摘天气一般选择在晴天或阴天午前（雾退之前），采摘时间较短，每年只有20天左右的时间。

一般来讲，每天上午的 6 ～ 10 时进行采摘，即清晨朦雾中上山采茶，雾退即收工。

采茶时还要做到"四拣八不采"。"四拣"是指拣坐北朝南阴山上的茶叶，不拣阳山上生长的；拣高处生长的茶树芽叶，不拣低处生长的；拣生长旺盛的茶树上粗壮、挺直的健枝，不拣细稍弱枝上的叶子；最后是拣取枝上一芽二三叶初展的芽尖。"八不采"是指无芽的不采、大不采、小不采、瘦不采、弱不采、有虫食的不采、色淡的不采、紫芽的不采。

采收回来的鲜叶要再次分拣，即折下一芽二叶和一芽三叶的"芽尖"，挑出肥壮多毫、匀齐一致、叶缘背卷且芽尖和叶尖长度相等的才能用来制作"猴魁"。上午采、中午拣，上好的太平猴魁必须在采摘当天完成制作。

⊙冲泡出的奇景

太平猴魁的色、香、味、形独具特色，冲泡后可见"刀枪云集，龙飞凤舞"的景象。有"两刀一枪"的景观，即干茶冲泡后每朵茶上都是两个叶环抱一个芽，不弯不曲，平扁挺直，素有"猴魁两头尖，不散不翘不卷边"

之称。

其色泽苍绿，叶脉绿中带红，肥厚壮实，满披白毫，含而不露，叶主脉呈绛紫色，如橄榄一般。冲泡后，茶芽挺直成花朵，扁平匀整，两端略尖，汤色明澈嫩绿，滋味醇厚鲜爽，具有"一泡香高，二泡味浓，三泡四泡香犹存"的特点，这也就是人们常说的太平猴魁独特的"猴韵"。

君山银针

⊙君山岛

君山为湖南省洞庭湖中的一座小岛，与岳阳楼隔湖相望，总面积不到1平方千米，由大小不一的72座山峰组成。君山茶的茶园就围绕着座座山峰，宛如碧色玉带。

君山古称湘山、洞庭山、有缘山，还有个别号叫"小蓬莱"，自古被视为神仙洞府所在的福地。岛上气候温和，年平均温度为16℃～17℃，年平均降水量在1300毫米左右，3～9月间空气相对湿度约为80%，气候十分湿润。岛上多为沙质土，土壤肥沃，古树参天，竹木丛生。君山四面环水，每到春夏季节，湖水蒸发，云雾弥漫，生态环境十分适宜茶树的生长。

⊙历史悠久的君山茶

君山有着悠久的产茶历史，据说在4000多年前，舜帝南巡，二妃娥皇女英赶到君山时，听说舜帝驾崩，瞬时抚竹痛哭，泪洒如雨。后来，二妃将随身所带的茶籽撒于君山，从此君山产的茶中似乎都带着情义。君山茶始于五代，盛于唐，清代纳入贡茶，此后一直作贡茶。文成公主出嫁时就选了君山茶带去吐蕃。

黄翎毛、白毛尖等名称都是君山茶曾经用过的。君山成品茶芽头健

名茶档案

君山银针

主要特征 黄茶的一种，产自湖南岳阳。形似银针，满布白毫，色泽金黄，冲泡后银针竖悬，三起三落，滋味鲜爽。

适用茶具

冲泡建议 水温85℃，一般可冲泡3次。

壮，大小匀称，茶芽内面呈金黄色，外面白毫毕显，其包裹坚实，茶芽外形极像一根根银针，因而取名为"君山银针"。

⊙非凡的品质

君山银针是黄茶中最杰出的代表，色、香、味、形俱佳，是茶中珍品。其成品茶芽头壮硕，坚实挺直，芽身金黄，身披银毫，内质毫香鲜嫩，汤色黄亮明净，叶底嫩黄清亮，香气清醇，滋味甘爽。冲泡时，可从清亮的茶汤中看到一根根银针直立向上，几番飞舞后慢慢沉落，最后聚在一起立于杯底，入口时清香醉人，满口芳香。

⊙ "九不摘"

君山银针的采制要求很高，采摘茶叶的时间只能在清明节前后7～10天内，不但如此，还有9种情况不能采摘：雨天不采、露水芽不采、冻伤芽不采、紫色芽不采、开口芽不采、空心芽不采、瘦弱芽不采、虫伤芽不采、过长过短芽不采，此即所谓君山银针的"九不摘"。因为君山银针在采摘技巧和制作方法上有着特别的要求，所以有人把采银针形象地喻为在黑夜里寻找绣花针，一般500克鲜芽需要芽头5万～6万个，2千克鲜芽大概可制作干茶500克，由此可见银针的珍贵。

⊙ 精工细作

君山银针的制作工艺精巧细致，别具一格。经杀青、摊凉、初烘、初包、复烘、摊凉、复包、足火等工序，历时三昼夜，长达70多个小时之久。整个制作工程中对茶叶的外形不作任何修饰，力求保持原状，以色、香、味3个方面下足工夫，追求完美。

杀青前要先将杀青锅磨光，茶叶下锅后，轻捞、慢推、上抛、下抖，手法轻柔，动作翻飞。茶叶含水量减至70%左右，出锅摊凉剔除碎杂，几分钟后即可初烘，至茶叶五成干时结束。

初包，即用牛皮纸包成小包，置于木箱内闷黄，40～48小时后即可松包复烘。初包对于分量、时间、温度、环境等有很多要求，基本完成了银针品质的初步形成。之后依次进行复烘、摊凉、复包、复烘和足火，完成全部制作工序。

⊙ "三起三落"

冲泡君山银针最好的泡茶用具是玻璃杯，用沸水冲入，5～10秒钟后，可见茶叶在杯中根根直立，竖悬于汤中，升到水面，之后缓缓下沉，再升再沉。如此往复3次，最终簇立杯底，每一芽叶含一水珠，雅称"玉舌含珠"。三起三落，十分有趣。品此茶，在味觉享受的同时，还可体会到绝妙的视觉享受。

祁门红茶

⊙ "由绿转红"

祁门功夫红茶也被誉为"王子茶"，又简称"祁红"，产于中国安徽省西南部黄山支脉的祁门县一带，素以香高形秀享誉国际。1875年，祁门红茶创制，以功夫红茶为主。

祁门茶叶早在唐代就已出名，据说，在清代光绪前，这里并不生产红茶，只盛产绿茶。1875年，黟县人余干臣从福建罢官，来到德县尧渡街设立茶庄，模仿"闽红"制法试制红茶；1876年，他再次来到祁门扩大生产和收购，使祁门一带逐渐改制红茶，并大获成功。由于祁红的价格高、销路好，人们纷纷相应改制，逐渐形成了祁门红茶的规模，距今已有100多年的历史。

⊙ 祁门香——"春天的芬芳"

祁门位于安徽省南部，这里峰峦叠嶂，山势陡峭，山林密布，土质肥沃，气候温暖湿润。茶园就位于峡谷、丘陵和山坡之上，有天然的屏障遮蔽恶劣的气候，有酸度适宜的土壤和丰富的水分提供营养，汲取天地精华，培育出祁门红茶清新迷人的茶香。

祁红特有的香气，馥郁持久，纯正高远，一直香飘海外。日本茶商称祁红这独特的香味为"醉人的玫瑰香"，欧洲茶商则直接将这难以形容的香气称为"祁门香"。有很多国内外的消费者在品饮祁门红茶时，生动地形容道："在中国的茶香里，发现了春天的芬芳"。

←功夫红茶的冲泡

名茶档案

祁门红茶

主要特征 红茶的一种，产自安徽祁门。外形紧细秀丽，色泽乌润，冲泡后散发独特的"祁门香"，滋味醇厚，回味隽永。

适用茶具

冲泡建议 水温100℃，可冲泡3次。可加入牛奶、糖或柠檬切片调饮。

⊙采摘制作

采摘后的鲜叶要经过萎凋、揉捻、发酵，使芽叶由绿色变成紫铜红色，香气透发，然后用文火烘焙至足干。红毛茶制成后，还须进行精制。精制工序复杂，费工夫，经毛筛、抖筛、分筛、紧门、撩筛、风选拣剔、补火、清风等工序而制成。

⊙品饮的方式

祁门红茶可以冲泡数次，每次的口感都略有不同，细饮慢品，体味茶之真味，方得茶之真趣。清饮最能

品味祁红的悠扬香气，冲泡功夫红茶时一般要选用紫砂茶具、白瓷茶具或白底红花的彩瓷茶具。祁门红茶还可加入牛奶或糖等调饮，口味另有变化。祁红的口味浓郁悠长，即使添加奶或糖也不失红茶的香醇。将鲜奶倒入红茶中，杯中会呈现淡粉红色，奶茶相融，形色优美，为其他红茶所不及。春天饮祁红最宜，下午茶、睡前茶也很合适。

⊙扬名天下

祁门红茶是中国传统功夫茶之一，其条索紧细秀长，汤色红艳明亮，特别是其香气清新芬芳，馥郁持久，似蜜糖香，隐伏果香，又蕴藏有兰花香，口感醇厚，汤中带香，香中伴甜，回味隽永。祁门红茶自1875年问世以后不久就享誉国际市场，成为中国传统的出口珍品。

仅有100多年历史的祁门红茶，在全球种类众多的红茶中，已然独树一帜，长盛不衰，以其"形美、色艳、香高、味醇"的四绝在国际市场上占有重要的地位。在国际茶人的认同和推崇下，中国的祁门红茶与印度的大吉岭茶和斯里兰卡乌伐高地的季节茶并列为世界上最出众的三大高香茶。

安吉白茶

⊙ 以白茶为名

安吉白茶产自浙江省安吉县的山河、章村、溪龙一带。因茶质细腻滑润，如脂如玉，又名"玉蕊茶"。安吉白茶虽然叫做白茶，但并非白茶，而是按绿茶工艺制作而成的烘青绿茶。

专家研究发现，安吉白茶合成叶绿素的基因对温度变化十分敏感。早春时节，气温较低，刚刚开始发芽的茶树叶合成叶绿素的途径受到阻碍，因此叶片呈现为白色，当气温上升至25℃以上时，合成叶绿素的基因活跃起来，叶片即由白转绿，与普通茶树无异。因此，真正的安吉白茶都是在早春时节采摘回来经加工制作而成。

⊙ 白茶的采摘

优质白茶通常在谷雨前后开始采

收，即采即炒。茶树蓬面开展，达到每平方米有 10 ~ 15 个芽时，即可采摘。茶叶采摘应分批多次进行，做到早采、嫩采、勤采、净采、不漏采。采摘标准为芽苞和一芽一叶，要求芽叶成朵，大小均匀，轻采轻放，用竹篓盛装、竹筐储运，防止重力挤压。通常炒制 1 千克的高档白茶需要采摘约 6 万个芽叶。

因不同的鲜叶，芽叶的大小、茎梗的粗细、叶张的薄厚、颜色的深浅以及水分含量多少都不一样，在采摘的同时，要将鲜叶分开。即幼龄茶叶

与成年茶叶分开；长势不同的鲜叶要分开；晴天叶与阴天叶要分开；阳坡茶叶与阴坡茶叶分开；清晨采的与下午采的茶叶分开。

⊙制作工艺

鲜叶采回后，需经过筛青、簸青、拣青、摊青的"四青"处理。"筛青"和"簸青"即用谷筛和畚斗通过筛、簸的动作除去老叶片、茎梗、杂质、单片和鱼叶；"拣青"是分拣过大的芽叶，使芽叶大小均匀，保证品质；"摊青"要避免阳光直射，防止发热变色，其目的是为了散发青气，蒸发部分水分，利于茶叶成形和品质的提高。经过"四青"处理后炒制出来的成茶，细嫩光滑，色泽金黄，香气高长。之后就可以进行炒制了，主要工艺有杀青、清风、压片和干燥。杀青，即通过高温破坏酶活性，使鲜叶内含物迅速转化。操作时要注意把握茶叶的湿度和温度以及投叶量、时间和手法等。

清风，即用畚斗簸扬杀青叶 10 ～ 15 次，清除碎片，降温保色。然后将清风后的芽叶均匀地摊散开，用双手用力按压，使芽叶全部变成扁片状。最后在烘笼中进行干燥。烘至茶香显露，手捻即碎时起烘摊凉。

⊙养生茶

经过测定，由于出产安吉白茶的茶树具有代谢机能的特异性，氨基酸的生成量也比其他一般绿茶含量高出 2 ～ 3 倍之多，最高含量达到 9%。茶氨酸有利于提高人体的抵抗力，对提高记忆、降血压、降脂减肥、养肾护肝等都有明显的药效。安吉白茶茶多酚的含量在 10% ～ 14%，仅为普通茶叶的一半。这种罕有的高氨低酚构成既是安吉白茶香气鲜浓、口味柔和的基础，也是其良好的养生保健作用的根本。

⊙品质鉴别

鉴别安吉白茶品质的优劣可以从以下几方面进行：

名茶档案

安吉白茶

主要特征 绿茶的一种，产自浙江安吉。外形舒展，多毫，叶面灰绿，毫色银白光亮，香气鲜爽馥郁，味微苦回甘。具有诸多保健功效。

适用茶具

冲泡建议 水温80℃～85℃，可冲泡4～5次。

首先，察看茶叶。茶叶外形匀整舒展，毫多肥壮，叶边呈锯齿状，上翘且不断碎，叶面灰绿，毫色银白有光泽，不含枳、老梗、老叶及腊叶，此即为上品。毫芽瘦小稀少，色泽为翠绿，叶片折贴弯曲的，品质次之；叶张老嫩不匀，色呈草黄或黑红无光泽，含有杂质的，则品质最差。

其次，闻茶香。香气浓显、清鲜纯正的则为上品；香气淡薄，有异味、焦味、酸味、失鲜或发酵感的均为假茶。

然后是审茶汤。茶汤呈杏黄色，清澈明亮，滋味鲜爽醇厚，微苦带甘，饮后口喉甘润的为上佳；汤色暗绿或泛红，口味淡薄、粗涩的品质则较差。

最后是评叶底。仔细观察冲泡后的叶底，匀整、软亮、毫芽肥壮的为上品；硬挺、含杂质、暗红、焦叶红边的为差。

武夷岩茶

⊙仙人亲手栽

武夷岩茶产于闽北的武夷山，茶树生长在岩缝之中，故被称为"武夷岩茶"。武夷岩茶属于半发酵茶，制作方法融合了绿茶和红茶的制法，同时具有绿茶的清香和红茶的甘醇，是中国乌龙茶中的极品。

传说，武夷山出产的茶原本不是人工种植的，而是由山里的仙人栽种而成。相传很久以前，武夷山中住着一位老者，常年以采药治病为生。因为他心地善良，常为乡民免费治病，而深得乡民们的敬重。一年盛夏，村中突发瘟疫，众多村民染病。老翁为医治村民四下寻药，终于在一处悬崖峭壁上发现几株药草，于是攀上采摘，不慎失足掉下悬崖昏死过去。突然一阵清风掠过，一位鹤发童颜的仙人飘然而下，将老者带入一处山洞，洞中有一株仙树，仙人将此仙树赠与老者，并指点他采摘此树上的叶子，带回村中，将其捣碎让村民服下。果然，全村的病人很快痊愈。人们感念仙恩，也为了让后人知道武夷山茶树的来历，便在第一株茶树生长的岩壁上刻下"茶洞"两个大字。

↑武夷岩茶的独特"岩韵"令很多茶人痴迷，竞相成为岩茶忠实的拥护者。

⊙高人精心制

武夷岩茶的制作可追溯到汉代，经过历代的发展沿革而成，至清代达到鼎盛时期。武夷岩茶是由武夷山独特的生态环境、气候条件和精湛的传统制作技艺造就的，其传统制作流程共有晾青、做青、杀青、揉捻、烘干、毛茶、归堆、定级、筛号茶取料、拣剔、筛号茶拼配、干燥、摊凉、匀堆、装箱、产品茶等十几道工序，环环相扣，缺一不可，其细致繁复为武夷岩茶所独有。

武夷岩茶的制作方法，汲取了绿茶和红茶制作工艺的精华，加上特殊的技术处理，使其独特的岩韵更加醇厚突显。这是武夷山历代茶农的智慧结晶，内含丰富的实践经验和独特而高超的技艺。2006年6月，武夷岩茶的制作工艺被列为首批"国家级非物质文化遗产"。

⊙开采时间

武夷岩茶的开采时间具有特殊的讲究：春茶一般在谷雨后立夏前采摘；夏茶一般在夏至前采摘；而秋茶一般则在立秋后采摘。采摘的芽叶不能过嫩也不能太老，因为这对岩茶质量具有很大的影响。为了保证采摘出优质良品，一般在每天上午9点至下午2点的时间段采摘，并且遵循着"雨天不采，烈日不采，有露水也不采"的原则。

⊙ "还阳"萎凋

萎凋是形成岩茶香味的基础，可分为日光萎凋和加温萎凋两种。萎凋原则上是"宁轻勿过"，操作手法要轻，不能损伤梗叶，这样才能有利于恢复一部分弹性，俗称"还阳"。

⊙ 做青

做青是武夷岩茶制作过程中特有的工序，也是形成"三红七绿"的重要环节。该工序具有费时长、要求高、操作细、变化多等特性。做青的方法没有完全一定的模式，而是青变即变，气候变即变，需要变则变，根据品种、萎凋程度，以及当时的气温、湿度、后续工序的要求而采取不同的处理手段。

⊙ 形色特质

武夷岩茶的外形条索壮结、匀整，色泽绿褐鲜润，冲泡后茶汤呈深橙黄色，清澈艳丽；叶底软亮，叶缘朱红，叶心淡绿带黄，滋味兼有绿茶的清香

和红茶的甘醇。茶性温和，不燥不寒，久藏不坏，香久益清，味久益醇。泡饮时宜选用小壶小杯，小啜细品。因其香味浓郁，冲泡多次后余韵犹存。

⊙ 品种繁多

武夷岩茶的品种繁多，特征各异。对其品种辨别主要是从茶树的枝、干、叶，以及成品茶的外形、香型、茶汤、味道等方面进行。各品种间的差异有的较为明显，但大多茶叶区别细微，不易辨别，只有经过长期的观察、品饮和比较了解才能分辨。目前武夷岩茶的主要品种有：大红袍、肉桂、水仙、佛手和奇种等。

名茶档案

武夷岩茶

主要特征 乌龙茶的一种，产自福建武夷山。条形壮结，色绿褐鲜润。冲泡后呈现绿叶镶红边，幽香持久，隐有花香，滋味浓醇回甘，独具"岩韵"。

适用茶具

冲泡建议 水温100℃，可冲泡6次以上。

⊙水仙

水仙属无性系小乔木型、大叶类、晚生种。其株高大直立，叶大者发芽早，叶长者发芽迟，叶面平滑且略带有绿色油光，边缘锯齿较深。花期较早，花朵多而大，红白色，不易结实。

成品茶特征：条索肥壮、色泽乌绿油润、部分叶背常现沙粒，叶基宽扁，香似兰花，汤色浓艳呈金黄色，滋味醇厚，回味甘爽，叶底软亮，朱砂红边明显，较耐冲泡。

⊙肉桂

肉桂是武夷岩茶的当家品种之一。茶树高 1.6 米，且冠大、干粗，枝叶繁密。叶片光滑椭圆，厚而脆，呈浓绿色，叶尖钝，叶缘内翻成瓦筒状。

成品茶特征：外形条索紧实，色泽青褐鲜润，香气浓郁高锐，有明显的桂皮香味，品质佳者带乳香。茶汤橙黄清澈，滋味醇厚甘爽，略带刺激性，叶底匀亮，呈淡绿底红镶边，冲泡六七次仍有"岩韵"的肉桂香。

⊙乌龙

乌龙属无性系灌木型、中叶类、中生种，有高脚乌龙和矮脚乌龙之分。高脚乌龙，别名大叶乌龙，枝干略弯曲，叶脉细而隐，叶尖较钝，叶质厚而脆，开花期较迟，不易结实；矮脚乌龙，别名小叶乌龙，枝叶较平展，叶色浓绿没有光泽，叶形向下并弯曲，叶尖圆钝，但主脉特别明显，花朵很小，呈红白色。

成品茶特征：外形紧细，色泽墨绿略带褐色，有明显的水蜜桃香，茶汤清透呈金黄色，滋味甘润清爽，厚而不浓，叶底软亮，红点泛现。

⊙佛手

佛手是岩茶众多品种中较为奇特的一种，也是一种引进的外来品种。佛手的原产地是泉州的永春县，树高冠大，树势蓬张，枝条软脆，叶片大而厚，皱曲不平，呈蓝绿色，叶细有光泽，主脉粗壮，而侧脉稍显隐细。佛手的萌芽力较弱，花朵结果性差或不结果。

成品茶特征：色褐绿鲜嫩润泽，香味清爽，且有明显雪梨香，味道极浓厚甘润，汤色深橙泛红色，叶底黄亮，红边鲜艳，叶背有明显的沙粒状。

⊙奇种

奇种又名"菜茶",也是武夷岩茶中历史最久的品种之一。奇种树丛矮小,枝干柔细,只是靠种子有性繁殖,但是花开茂盛且籽多,很易播种。

成品茶特征:外形紧结匀整,呈铁青略带褐色,较为油润,具有天然花香,香气不浓,汤色橙黄清明,叶底欠匀净。

⊙独具"岩韵"

武夷岩茶的品质特点,众说纷纭。一般来说,不外乎是外形粗壮乌润,泡后呈现"绿叶红镶边",香气浓郁,滋味甘醇等。上等的武夷岩茶贵在其所具有的天然真味,滋味醇厚,内涵丰富,即岩茶特有的韵味,也称之为"岩韵"。

由于武夷岩茶生长于得天独厚的环境中,叶内所含物质丰富,而且武夷岩茶的采制十分考究,本身成茶就具有一种奇特的风格和美妙的韵味。要想鉴赏此茶的风韵,要像

品茶行家一样,准备一套特制小巧的茶具,泡上一壶,先嗅其香,再试其味,慢慢品赏,细细体味,花香如出自幽谷,雅趣盎然。

⊙冲泡要领

泡饮武夷岩茶的要领,首先要选

择最佳的冲泡用具，以传热性好的白瓷盖碗为好，盖碗泡武夷岩茶最能表现其茶汤本色，有不加掩饰的效果。其次，要选择好泡茶之水，水质不同会使香气和滋味都出现极大的差异，没有好水，便无法泡出好茶的滋味。一般以山泉水为上，洁净的河水或纯净水为中，硬度太大或氯气明显的自来水不可使用。最后，盖碗的使用必须保持洁净和相当热度。可先用沸水浇淋杯体，即所谓的"温杯"，然后放入适量的茶叶，再用沸水冲泡即可。

置茶量一般为盖碗容量的 1/4 ~ 1/3 之间，水量为干茶量的 15 ~ 20 倍，一般可冲泡 10 余次。前 3 次冲泡的时间控制在 20 ~ 40 秒为好，之后每冲泡一次，浸泡时间再增加 10 ~ 30 秒。

⊙密封储存

武夷岩茶具有易吸异味，怕潮湿、高温和光照的特点，但是储存并不复杂，只需注意 5 点：第一，要防潮湿，

干燥储存。不宜将茶放在冰箱里，而应置于家中干燥通风处保存。第二，要防高温，低温储存。一般 0℃ ~ 5℃时茶叶可较长时间保持原有的色、香、味。第三，要防光照，避光储存，不可长期存放在阳光直射处。第四，要防氧化，密封储存，一般的塑料袋时间长了会产生异味，因此最好用锡箔密封袋。第五，要防吸附，单独储存，不可与其他有异味的食品共同存放。符合上述存放条件，一般的武夷岩茶可保存 1 ~ 2 年，仍能保持原有的品质。

如要陈化传统方法发酵的岩茶，收藏更久最好选用专门的茶桶，在桶内先铺上一层吸附湿气和异味能力的生石灰或竹炭，再将茶叶包好放在上面，密封起来，可存放数年，陈化出别有风味的陈茶。

武夷大红袍

⊙贡茶披红袍

武夷大红袍，产于福建省武夷山，是中国茗苑中的奇葩，是岩茶之王，更有"茶中状元"之称，堪称国宝。传说，天心寺的一位高僧用九龙窠岩壁上的茶树芽叶制成的茶汤，治好了一位皇官的疾病，这位皇官便将自己身上所穿的红袍脱下，盖在茶树上以示感谢。此后，被红袍盖过的几株茶树被染，远远望去通树艳红似火，犹如披着红色的袍子，"大红袍"由此而得名。从此，大红袍便成了年年岁岁的贡茶。

名茶档案

武夷大红袍

主要特征 乌龙茶的一种，产自福建武夷山。条索紧结，绿褐鲜润。香气高而持久，有浓郁桂花香，滋味浓醇，回味甘甜。

适用茶具

冲泡建议 水温90℃～100℃，可冲泡9次以上。

⊙采摘仪式

清明节前，惊蛰之日，大红袍树下将举行一年一度的采摘仪式。这个采摘仪式在武夷山由来已久，真正有文字记载是在唐代。这种习俗从唐、宋、元、明、清代代相传下来，在元代达到鼎盛。

每年采茶时，在武夷山修建的一座御茶园内，由一位德高望重的茶农来主持采摘仪式，茶工、茶农、茶师和村民百姓都集聚到那里敲锣打鼓，抬着山神，以水果、牲畜等贡品前来贡茶，并在口中齐喊："茶发芽！茶发芽！"久而久之便形成了这个武夷山特有的采摘仪式。

⊙浓浓桂花香

武夷大红袍属于品质特优的"名枞"，石壁和岩间滴水的独特生长环境使其具有独特的药效和卓越的品质，更润生出其浓郁的桂花香气。成品茶香气浓郁，滋味醇厚，饮后齿颊留香，经久不退。大红袍很耐冲泡，经过9次冲泡后，仍不失原茶真味和浓浓的桂花香，故被誉为"武夷茶王"。

⊙天价的"茶中之王"

武夷岩茶是中国十大名茶之一，系乌龙茶之鼻祖，更是乌龙茶中之珍品。大红袍则是武夷岩茶之王，以其稀贵而备受瞩目。历史上的大红袍很稀少，如今得到举世公认的仅有武夷山九龙窠岩

↑生长在九龙窠岩壁上的大红袍茶树

壁上的几株而已，年产量不过几百克。由于产量的稀少，这几株茶树被视为稀世珍宝，所产茶叶自然也是身价不菲。

曾经有人把真正的九龙窠大红袍茶拿到市场上拍卖，仅20克干茶，竟拍出15.68万元的天价，从而创造了茶叶单价的最高纪录，故此大红袍被人们誉为天价的"茶中之王"。

⊙真假大红袍

喜欢大红袍的人都知道，大红袍生长在九龙窠的岩壁之上，仅有几株，产量极为稀少，因此很多茶人误认为市场上出售的大红袍大多是假冒伪劣产品，不足取。但是很多大红袍的产品包装上都有国家认证和许可出售的标志，究竟孰真孰假，现今的茶叶市场上有没有真的大红袍等问题令很多茶人感到迷惑。

首先需要了解的是，大红袍是茶树品种的名称也是茶名，不能等同而一。大红袍茶不仅生在九龙窠，据资料记载，武夷山上的天游岩和珠帘洞两处也有此茶，"当代茶圣"吴觉农在北斗岩也发现过大红袍。从植物学角度来说，只要具备与母本同样的性状特征，无论繁衍多少代都与母本具有同样的品种意义，除非品种发生变异，不存在品质下降的现象。事实上，现代的制作工艺和技术条件以大红袍茶树为原料制成的成品茶质量完全可以与母本茶相媲美。现如今市场上出售的大红袍，一部分是由母本大红袍的后代制作而成，一部分是采用多种优质岩茶为原料拼配而成，只是质量参差不齐，购买时需要加以品鉴识别。

白毫银针

⊙白茶珍品

白茶属轻微发酵茶，白茶是中国的特产，已有上千年历史，原为北宋贡品。主要产于福建省的福鼎、政和、松溪和建阳等县，台湾省也有少量生产。其主要品种有白毫银针、白牡丹、贡眉、寿眉等。白茶具有银白多毫，芽头肥壮，汤色黄亮，滋味鲜醇，叶底嫩匀等特点。尤其是白毫银针，全都由披满白色茸毛的芽尖制成，形状挺直如针，汤色浅黄，鲜醇爽口，饮后令人回味无穷，是白茶中的精品。

由于白毫银针中氨基酸的含量比普通茶叶高一倍，而茶多酚又比普通茶叶低一半，且只能每年春季采摘一次，因此产量稀少而价格昂贵。因白茶性温凉、健脾胃，具有退热降火等功效，一直深受港澳地区、东南亚和欧美等国家消费者的喜爱。

⊙北路银针

福建福鼎所产的白毫银针被称为"北路银针"，茶树品种为福鼎大白毫。北路银针显银白色，外形优美、芽头肥嫩、茸毛松厚，汤色碧青，呈杏黄色，香气清淡，滋味清新。根据采摘时间和气候的不同，这种大白毫可精制成金针王、茶王、白珍珠、白雪花等名贵茶叶。

名茶档案

白毫银针

主要特征 白茶的一种，产自福建福鼎。外形挺直如针，遍披白毫，富有银光，香气清芬，清鲜爽口。

适用茶具

冲泡建议 水温95℃～100℃，可冲泡3次。

⊙南路银针

福建政和所产的白毫银针被称为"南路银针"，茶树品种为政和大白毫。南路银针呈银灰色，外形粗壮，芽瘦长、茸毛略薄，光泽较差，香气清鲜，滋味略显浓厚。根据采摘时间和气候的不同，政和大白豪可精制成绿金针和银针等名贵茶叶品种。

⊙形如其名

白毫银针，形如其名，正是因其芽头肥壮，芽长近寸，全身披满茸毛，色白如银，外形圆紧纤细如针，故而得此"白毫银针"的雅号。

白毫银针冲泡后，稍许便可见针针直立，忽上忽下，争相沉浮。茶汤呈浅杏黄色，清澈透亮，香气清鲜，闻来沁人心脾，品来毫香显露，醇厚回甘，其滋味因产地不同而略有不同。

⊙制作方法

白毫银针是中国十大名茶之一，白茶中的珍品。不仅因为其主要产地只有福建的福鼎和政和，茶树品种只限于福鼎大白茶、福鼎大毫茶和政和大白茶，产量十分有限，更因为其遍披白毫、挺直如针、清鲜甘醇的特质。正是独具特色、精湛细致的制作工艺才造就出白毫银针的超群品质。

首先是银针的采制，以春茶采摘的第一、二轮顶芽品质为最佳，夏茶由于气温高、抽芽快，品质达不到银针制作的要求。采摘时要选择晴朗、刮东北风的天气，这种天气气温高、湿度低、利于鲜叶的干燥。雨天或雾天采制的银针颜色容易发黑，不鲜活，茶农形象地称之为"死针"。

银针的加工需要经过摊晾、烘焙、

剔拣、复焙等几个主要步骤，每一步都要精工细作。如进行摊晾时，茶芽铺放要薄而匀，不能重叠，否则被叠在下面的茶芽就会变黑；烘焙时不能翻动，否则芽叶会因损伤而变红等。

⊙品质区分

白毫银针的等级主要从色泽、香气、滋味和叶底4个方面来区分，可分为3个级别。鉴定方法为：取3克茶叶用150毫升沸水冲泡，浸泡5分钟后对色、香、味和叶底等各项一一进行审评。

当年采制的白毫银针，以毫心肥壮、银白闪亮的第一、二轮春茶的顶芽为最佳，第三、四轮之后采摘的芽叶大多短而瘦小、颜色灰白、品质次之。

⊙冲泡方法

白毫银针的冲泡方法与绿茶基本相同，但因其未经揉捻，茶汁不易浸出，冲泡时间宜略长。一般每3～4克银针可冲入200毫升沸水。

茶芽最初浮于水面，约5分钟后，部分沉落，部分悬浮，此时，可见银针挺立，上下交错，非常美观。约10分钟后，茶汁被浸出得较为充分，汤色黄亮清澈，口感清香甜爽，恰好饮用。边观赏杯中景，边品饮清香味，顿时尘俗尽去，意趣盎然。

白牡丹

⊙白牡丹茶的由来

白牡丹属白茶类，其形似花朵，绿叶夹白色毫芽，冲泡之后碧绿的叶子衬托着嫩嫩的芽叶，形状优美宛若蓓蕾初开，故名"白牡丹"。在民间流传着这种茶树是由牡丹花变成的传说。

古时候有位太守，刚正清廉，因看不惯官场黑暗而弃官随老母到深山归隐。当母子二人来到一座青山前，只觉得异香扑鼻，于是便向路边一位银须垂胸的老人探问，香自何来。老人告诉说香味来源于莲花池畔的18棵白牡丹。母子俩见此处似仙境一般，便在此建屋修道住了下来，以护花种茶度日。一日，母亲因年迈劳累而病倒，太守经仙人指点需要以新茶为药引治愈母亲。时值寒冬，到哪里去采新茶呢？正在为难之时，忽然发现那18棵牡丹竟变成了18株茶树，树上长满鲜嫩的芽叶。太守立即将其采下晒干，干茶香气扑鼻且白毛茸茸，竟如同是朵朵牡丹花。饮过此茶的母亲马上恢复了健康，并起身飘然飞去，变成了掌管这一带茶树的茶仙，帮助百姓种茶制茶。

后人便把这一带出产的茶叫做"白牡丹"，茶性清凉，有退热降火之功效，为夏季之佳饮。

⊙产地分布

白牡丹茶属于白茶，为福建特产。1922年白牡丹茶创制于大湖地区，同年政和开始产制，成为主产区。20世纪60年代，松溪县曾经一度盛产白牡丹茶，如今产区主要分布于福建的政和、建阳、松溪、福鼎等县。

⊙制作工艺

制造白牡丹的原料主要为政和大白茶和福鼎大白茶两种茶树的芽叶，有时采用少量水仙品种茶树芽叶供拼配之用，选取毫芽肥壮、洁白的春茶加工而成。白牡丹不经炒揉，只有萎凋和焙干两道工序，其制作关键在于萎凋。

萎凋根据气候而灵活掌握，以春秋晴天或夏季不闷热的晴朗天气，采取室内自然萎凋或复

式萎凋为佳。烘焙则是在拣除梗、片、蜡叶、红张、暗张中进行，宜以火香衬托茶香，更能显香露毫，使汤味鲜爽。

⊙品质特征

白牡丹是采自大白茶树或水仙品种茶树的短小芽叶新梢的一芽一二叶制成的，是白茶中的上乘佳品。采自大白茶树的肥芽制成的白茶则是前文介绍的"白毫银针"，也是白茶中名贵的品种。

白牡丹清淡高雅，冲泡后深绿色的芽叶抱着嫩芽，形似蓓蕾初开。上品白牡丹叶张肥嫩，毫心肥壮，叶缘微卷，叶背遍布白毫。茶汤清澈，橙黄或杏黄色，滋味甘醇清新，叶底浅灰，叶脉微红。白牡丹茶具有去暑、明目、通血管、抗辐射以及解毒等药用功效。

名茶档案

白牡丹

主要特征 白茶的一种，产自福建福鼎。形似花朵，绿叶夹白色毫芽，冲泡后如蓓蕾初开，香气扑鼻，味甜醇爽。有清热降火之功效。

适用茶具

冲泡建议 水温80℃～90℃，可冲泡3次。

华南名茶

华南茶区是中国的四大一级茶区之一，由于其独特的气候条件，也是中国最适宜茶树生长的地区。其得天独厚的地理，使得华南茶区名茶辈出，如安溪铁观音、台湾的冻顶乌龙茶等。华南名茶以乌龙茶、红茶、花茶和白茶为主，其中乌龙茶和红茶的品饮方法更是独具一格，开创了中国功夫茶的品饮方法。相对江南名茶的贵族气息和频繁地出入宫廷，华南名茶与平民百姓和具体的民生走得更加贴近，在阐述中国茶文化的生活方面上乃至于中国人的生活方式上，有着不可代替的地位。

华南茶区

⊙区域范围

华南茶区在福建雁石溪、大漳溪，广东连江、梅江，广西浔江、红水河，云南南盘江、保山、无量山、盈江以南区域，其中包括福建东南部、广东中南部、广西壮族自治区、海南省、云南南部、湖南南部及台湾岛等地区。这些地区均属亚热带及热带气候，大部分地区高温多雨且土壤肥沃，是中国最适宜茶树生长的地区。

⊙地理特征

华南茶区南部属热带季风气候，最主要的特点是高温多雨，长夏无冬。年平均气温为19℃～22℃，1月份平均气温为7℃～14℃。年降水量高达1200～2000毫米，为中国茶区之最。茶树年生长期达10个月。

茶区北部属亚热带季风气候，最主要的特点是温暖湿润。全年只有春、夏、秋3个季节：春季多雨；夏季热而长，多台风暴雨；秋季雨水较少，较为干燥。年均降水量在1500毫米以上，主

粤式早茶

粤式早茶与其说是"饮茶"，不如说是一种饮食文化。清晨坐在茶楼里，一壶乌龙茶，配上几样精致的小点心，别有一番风味。粤式早茶种类繁多，各种小吃更是让人垂涎三尺，虾饺、烧卖、叉烧包，还有及第粥、鱼片粥、皮蛋瘦肉粥等粥羹类。与大多数人习惯的早餐方式不同，对广东人来说，早茶意味着一杯清香的茶水和几款美味的茶点，一份报纸或是几个朋友间的闲聊。

悠闲的清晨，抛弃简单而匆忙的早餐模式，享受一下舒适而讲究的粤式早茶也是不错的选择。

要降水集中在 5 ~ 10 月，占年降水量的 70% ~ 80%。

茶区土壤除了砖红壤外，部分地区还分布有红壤和黄壤，在森林植被的覆盖下，土壤肥沃，有机质含量丰富。

⊙茶树品种

华南茶区茶树品种资源比较丰富，主要有乔木型和小乔木型的大叶种，少数地区也有灌木型小叶种的分布。乔木茶对环境要求很高，需要在没有污染、天然纯净的自然环境中才能孕育出品质优良的大叶种乔木茶。这类品种植株十分高大，主干分明且粗壮，分枝部位高，叶片大，结实率低，所以茶叶的采摘比较困难。

⊙特产名茶

华南茶区因其适宜的气候环境和肥沃的土壤条件，茶叶产区分布广泛，

盛产的名茶也是不胜枚举。如产于广东潮州的凤凰单枞、英德市的英德红茶、仁化县的仁化银毫茶，福建省安溪的铁观音、福鼎的贡眉、永春县的永春佛手，广西凌云县的凌云白毫、苍梧县六堡山区的六堡茶、桂林的毛尖等。

⊙台湾名茶

台湾几乎全省都产茶。中南部有南投渔池和埔里茶区的日月潭红茶、鹿谷的冻顶乌龙、名间的松柏常青茶、嘉义的阿里山珠露茶；东部有台东鹿野的太峰高山茶和花莲的天鹤茶；北部的台北县出产文山包种、木栅观音、三峡龙井，桃竹苗茶区的桃源县龙泉茶、新竹县东方美人；还有海拔较高的高山茶园的高山茶……这些名优茶品以其独特的风味和淳厚的口感得到人们的喜爱。

安溪铁观音

⊙主要产地

安溪，是中国乌龙茶的故乡，也是世界名茶铁观音的发源地。安溪凭借着其悠久的历史，丰富的资源，众多的品种，特有的制茶工艺和精湛的制茶经验，成为中国茶叶宝库中一颗耀眼的明珠。

安溪位于福建戴云山东南坡，境内按照地形地貌的不同，分为内外安溪，而铁观音主要产在西部的"内安溪"，其产量占全县茶叶总产量的80%。这里群山环抱，峰峦叠嶂，云雾缭绕，年平均气温在15℃～18℃之间，土层深厚，特别适宜茶树的生长。

⊙名扬四海

铁观音茶又称闽南乌龙，系乌龙茶中之珍品，兼有红绿茶的特点，原产于福建省南部安溪县西坪镇，是中国的国茶和世界名茶。铁观音发现于清雍正四年（1725）前后，后被传播到台湾、港澳地区，以及越南、泰国、印尼、新加坡等国家。

近年来，铁观音以其香气清新悠长，饮后满口芳香，且生津甘醇，回味无穷等特点逐渐被世人喜爱，并享誉世界。尤其是日本市场，两度掀起"乌龙茶热"，福建铁观音风靡日本各地。现在在日本，铁观音几乎被看做是乌龙茶的代名词。

⊙七泡有余香

优质铁观音条索卷曲，紧实呈颗粒球状，色泽鲜润，叶表带白霜。其茶汤色泽金黄，浓艳清澈，叶底肥厚，具有丝绸般的光泽。茶汤醇厚甘鲜，入口甘甜略带蜜香，香气浓郁持久。

近年来，国内外试验证明，安溪铁观音所含的香气成分种类最多，而且中、低沸点的香气成分所占比重大于其他品种的乌龙茶。因此，安溪铁观音以其独特的香气令人心醉神往，享有"七泡有余香"的美誉。

⊙加工制作

安溪铁观音属于部分发酵品种，它的制作融合了红茶发酵和绿茶不发酵的特点。铁观音的加工制作十分复杂，制成的茶叶要条索紧结，色泽乌润，好的铁观音制成后还会凝成一层白霜，冲泡后，具有天然的兰花香，滋味浓郁。

铁观音制作的第一步是尽可能采回新鲜完整的叶片，而后对其进行晾青、晒青和摇青。摇青是制作中最为重要的工序，茶叶通过摇动旋转产生碰撞，从而激活了芽叶内部酶的分解，散发出独特的香气。就这样，直到茶香自然散发，香气浓郁时进行杀青、揉捻和包揉处理，待茶叶卷缩成颗粒状，再进行焙干、筛分和拣剔，最后制成成茶。

⊙品质鉴赏

铁观音品鉴的方法首先是听声，优质的铁观音紧实叶重，取几粒投入壶中，清脆有声。其次观色，冲泡后汤色金黄明艳，清澈纯净为上品，汤色暗红的则次之。之后是闻香，铁观音与其他茶种最大的区别在于其独特的兰花香，冲泡后仅闻杯盖即有扑鼻的兰花香，高雅、含蓄、渗透力强，令人印象深刻。品鉴铁观音的品质应以冲泡出来的香气为准。茶汤呈金黄的琥珀色，叶底多为三叶一支，且软嫩肥厚，富有光泽。

高档的铁观音入口爽滑、不苦或微苦，无明显涩感，轻啜后顿觉茶香四溢，喉头回甘，口感饱满醇厚。

⊙铁观音的"音韵"

铁观音的品质特色除外形特征以外，尽可以用具有"音韵"来概括。"音韵"的全称是"观音韵"，无此不成铁观音。铁观音冲泡后，香气扑鼻，汤色同绿豆水，滋味鲜美，令人回味，而"音韵"就是来自铁观音特殊的香气和滋味。铁观音的香气馥郁清高，鲜灵清爽，犹如空谷幽兰，滋润心脾，令人兴致益然；铁观音入口，醇厚鲜香，顺喉咙滑下，清爽甘甜，余味无穷，烦恼顿失。有人说，品饮铁观音中的极品——观音王，有超凡入圣之感，仿佛羽化成仙，将一切俗事抛之脑后，这至真至妙的感受恐怕就是人们将铁观音独特的风韵命名为"观音韵"的来历。

⊙加工工艺

通过传统工艺加工制作出来的安

溪铁观音，具有外形卷曲、乌润砂绿、香气浓郁、滋味醇厚等特点，传统工艺铁观音发酵率达30%以上；而通过新工艺加工制作出来的铁观音，则具有外形圆实、色泽翠绿、香高持久等特点，其发酵率均低于30%。

近几年来，随着气候环境的变化，平均气温的升高，尤其是安溪内陆乡镇变化明显，加速了安溪铁观音加工工艺上的变化和发展，其传统加工工艺（即浓香型）铁观音正逐步被新型加工工艺铁观音（即清香型）所代替。

⊙采摘

安溪铁观音一年四季均可采制。

名茶档案

安溪铁观音

主要特征 乌龙茶的一种，产自福建安溪。条索卷曲，肥壮圆结呈颗粒状，叶表带白霜，香气浓郁持久，"音韵"明显，滋味醇厚，略带蜜香，鲜爽回甘。

适用茶具 🫖 ☕

冲泡建议 水温90℃～95℃，可冲泡7～8次。

谷雨至立夏时节采摘制作的为春茶；夏至至小暑采摘制作的为夏茶；立秋至处暑采摘制作的为暑茶；秋分至寒露采摘制作的则为秋茶；个别地方由于气温较高，还可采得一季冬茶。

四季茶中，制茶品质以秋茶为最好，春夏茶次之。鲜叶采摘必须在形成芽后、顶叶刚展开时，采下二三叶。采摘时不能折断叶片，不能折叠叶张，不能碰碎叶尖，不能带有单片、鱼叶和老梗。生长在不同地区的茶树，鲜叶要分开采摘，采回的鲜叶要尽量完整新鲜，然后再精工细作，制成铁观音成品茶。

⊙品饮方法

安溪铁观音茶的泡饮方法别具一格，独成一家的是十分讲究的"功夫"泡法。总的来说，水以泉水为佳，炉以炭火为妙，茶具以小为上。置茶量约为茶壶的一半，使用沸水高冲法，冲泡时间以1～3分钟为好。品饮时先观汤色，再闻茶香，最后细啜入口，边啜边闻，浅斟细饮，饮罢齿颊留香，口喉回甘，心旷神怡。

冲泡可分为8道程序进行，分别是白鹤沐浴（洗杯）、观音入宫（落茶）、悬壶高冲（冲茶）、春风拂面（刮泡沫）、关公巡城（倒茶）、韩信点兵（点茶）、鉴赏汤色（看茶）和品啜甘霖（喝茶）。

冻顶乌龙

⊙冻顶茶

冻顶茶是台湾省所产乌龙茶的一种，原产于台湾南投鹿谷乡的冻顶山，采自青心乌龙品种的茶树上，属中发酵轻焙火型茶。冻顶为山名，乌龙为品名，"冻顶乌龙"的茶名便由此而来。冻顶乌龙在台湾极负盛名，广受欢迎，被品茗人士推崇为台湾的"茶中之圣"。

⊙冻顶山

冻顶乌龙茶的主产地冻顶山是凤凰山的支脉，位于海拔700米左右的高岗上。由于此茶生长于海拔较高的山顶，那里冬季气温较低，台湾的茶农们穿草鞋上山采茶时，会冻到脚趾尖，所以人们称此山为"冻顶山"，冻顶山出产的乌龙茶便被称为"冻顶茶"。

⊙采制方法

冻顶乌龙的春茶多采于清明后谷雨前，冬茶采于立冬前后，受全球气候变暖的影响，春茶的开采日需逐渐提前，冬茶则需逐渐推迟。采摘标准为一芽二叶，采折点靠近上缘叶为宜。采摘在午后进行，最有利于提高成茶的品质。

掌握好杀青的程度对于制作优质的冻顶茶至关重要。程度轻不易产生茶香，茶汤容易苦涩；程度重则容易"只闻其香，不见其味"。阴天晒青需要人工设备辅助，光照强烈的天气则需遮荫。之后进行"摊青"和"摇青"，起到干燥和发酵的效果。"炒青"要求高温快炒，多翻揉、少复炒，这样才能更好地保留茶香、茶味。最后是焙茶，焙茶室要大小适中、干净无异味、通风良好、温度适宜，烘焙温度和时间长短根据茶叶品质的变化灵活调整。

⊙外观内质

品质优异的冻顶乌龙茶，其外观内质的特点表现为：外形卷曲呈条索状，条索紧结整齐，色泽墨绿油润，并带有类似青蛙皮斑的灰白点，干茶具有强劲浓郁的芳香。

冲泡后，茶香浓烈，香气中有隐隐的桂花香且略带焦糖的甜香，茶汤呈金黄色且澄清明澈，叶底嫩柔透明，叶中部呈淡绿色，边缘呈锯齿状带红镶边，滋味甘醇浓厚，口感圆滑光润，口齿生津，回甘强，且经久耐泡。

⊙品级的评定

根据成茶品质和采制时间的不同，冻顶乌龙一般可以分为特选、春、冬、梅、兰、竹、菊共7个等级。评比的内容首先包括干茶的外形、条索是否紧结、颜色是否新鲜带有光泽、芽尖毫白是否匀整无杂等。

开汤后，先闻香气的浓淡、高低、清浊、纯杂，以及是否带有焦、烟、腥、霉等异味；再观汤色及是否清澈光亮；待茶温降至40℃～45℃时，再品鉴茶汤滋味之浓淡、甘苦、纯杂以及刺激性、收敛性等；最后将茶汤倾倒，分辨叶底的色泽、老嫩、开展程度、完整程度等。

名茶档案

冻顶乌龙

主要特征 乌龙茶的一种，产自台湾南投。外形呈半球状，条索紧结，有白毫，色泽墨绿带有青蛙皮般的灰白点。冲泡后有浓郁的桂花甜香，滋味醇厚。

适用茶具

冲泡建议 水温90℃～100℃，可冲泡6～7次以上。

茉莉花茶

⊙ "人间第一香"

茉莉花，原产自波斯，汉代传入中国，已有1700多年的历史。它是一种花色洁白、叶色翠绿、小花型花卉，花小素淡，芬芳怡人。茉莉花兼有梅花的清芬、兰花的幽雅和玫瑰的甜郁，与兰花、桂花并称三大香祖，并享有"人间第一香"之美誉。

茉莉花茶，是茶中加入茉莉花朵熏制而成的，自古被视为窨花茶中之名品。在茶与茉莉花的窨制过程中，融茶的清香和花的芬芳为一炉，茶叶充分吸收花香的成分，使其既有茶香，又有花香，从而成为不可多得的茶中美味。

茉莉花茶是花茶中的主要产品，历史悠久，备受欢迎，流传广泛，这是由于其品质特点是茉莉花香浓郁、洁白宜人，冲泡和饮用过程中，满室飘香，能够给人带来身心愉悦的感受。

⊙ 品质特点

要分辨出市场上出售的茉莉花茶品质是否优秀，可以从干、湿两个方面来比较判断。

首先看干茶：以福鼎大白毫幼嫩的芽叶加工制作出来的高级烘青绿茶，工艺标准要求要达到6~8个窨次，才可以称得上高级茉莉花茶。其形状多样，有圆形、扁形、针形、弯曲形、瓜子形等不一，但都完整洁净、银白闪亮、色泽嫩黄、多茸毫。需要注意的是，经过多窨次的茉莉花茶，茸毛会有少量脱落，而窨次少的才可能茸毛完整。干茶的香气清香扑鼻，闻起来有鲜、浓、纯、厚的特点。干茶的水分标准为8%~8.5%，水分超标的茉莉花茶不但重量增加，香气闻起来也鲜活许多，这种茶叶买回家就会发现冲泡开并不像闻起来那么香，而且很容易发霉变质。

然后是湿看：取3克样茶冲泡品尝。高档茉莉花茶冲泡出来的香气高、长、厚，芬芳浓郁，香气持久，滋味醇厚清爽，回味甘甜，满口生香。

最后别忘记看叶底，高档茉莉花茶叶片完整均匀，芽叶肥嫩，无杂物。

品饮茉莉花茶不仅是感观享受，而且还是一种精神享受，正所谓"杯中清香浮情趣"。

⊙药用功效

茉莉花具有提神、清火、消食、利尿等保健作用和一定的解毒功效。据测定，茉莉花含有的香气化合物质有20多种，对于痢疾、伤寒杆菌也有很好的抗菌杀菌效果。其富含茉莉花素等成分，用其漱口，既去油腻又具有坚固牙齿、防止口臭的功效。此外，清新的茉莉花香还具有舒缓情绪、放松心情的妙处。

茉莉花与茶叶一起冲泡，更能起到清热、解毒、疏胃、止痢的作用。淡淡的花香加上保健、美容、防病的功效，茉莉花茶让饮者感受到的是如入仙境一般的清新享受。

⊙冲泡方法

高档的茉莉花茶宜用玻璃杯进行冲泡，水温在80℃～90℃为佳；中档的茉莉花茶，如银毫、特级、一级等，宜选用带盖瓷杯或盖碗进行冲泡，水温越高越好，接近100℃为佳。通常茶和水的比例在1：50，冲泡时间为3～5分钟。茉莉花茶的具体冲泡步骤有：备具—烫盏—置茶—冲泡—闻香—品饮—欣赏。

⊙品饮的享受

茉莉花茶融合茶叶之味和鲜花之香于一体，品饮茉莉花茶，不如说是在品赏一件茶的艺术品。当茉莉花茶被拨入洁白如玉的白瓷盖碗中时，茶叶与茉莉干花飘然落下，看着片片香茶飞舞，可闻清香高远，韵味雅致。茶叶的淡淡素香映衬着茉莉花的馨香，顿时让人感到神清气爽。

⊙储存条件

储存茉莉花茶时，影响其品质发生变化的主要因素有温度、湿度、空气和光线，其中最重要的就是湿度。空气中所含的水分被茶叶吸收后很容易引起茶叶的质变，轻则品质下降，影响口感，重则彻底变质，无法饮用。其次是空气。茉莉花茶最好采用真空包装，并且装紧装实，既可以防止空气中的氧使花茶变质，也能防止香气的散失。最后，将包好的茉莉花茶放在避免阳光照射的低温环境中就可以了，家用冰箱是最好的选择，理想温度是5℃左右。

⊙优质茉莉花茶产地

江苏苏州出产的茉莉花茶以其优异的品质跻身中国十大名茶之列。除此之外，福建省福州及闽东地区、浙江金华地区以及广东、四川出产的茉莉花茶品质都很出众，且历史悠久，深受人们的喜爱。

宋朝时，苏州已开始栽种茉莉花，并将其作为制茶的原料，约于清雍正年间（1723～1736）开始规模化生产茉莉花茶，距今已有200多年的历史。苏州茉莉花茶选用上好的烘青绿茶制作毛茶，高档的还会使用龙井、碧螺春、毛峰等名优茶作为茶胚，再用香气清新、成熟粒大、洁白光润的茉莉鲜花窨制而成。香气芬芳清灵，滋味醇和鲜爽。

名茶档案

茉莉花茶

主要特征 花茶的一种，产自江苏苏州。条索紧细，黑褐油润，茉莉花香鲜灵持久，滋味鲜爽。具有多种保健功效。

适用茶具

冲泡建议 水温85℃～95℃，可冲泡6次以上。

福建制作茉莉花茶早在16世纪已有记载，清咸丰年间（1850～1861）开始大量生产。福州的银毫、宁德的天山春毫、福安的白云、福鼎的太姥香云、政和的雄峰银芽、寿宁的福寿银毫等都是茉莉花茶中的极品。福建省地处亚热带，气候温暖湿润，茉莉花栽植遍布全省，品质十分出众。

金华茉莉花茶，产自浙江省金华市，也有300多年的生产历史。茉莉花就来自于金华市罗店乡，那里土壤肥沃，山泉清澈，云雾缭绕，培育出来的茉莉花洁白光润、饱满芳香。

西南名茶

西南茶区是中国的四大一级茶区之一，茶树品种资源丰富，有灌木型和小乔木型茶树，更难得珍贵的是在部分地区还生长着乔木型茶树，有些乔木型茶树的树龄甚至在千年以上。西南茶区的影响意义不但在中国是巨大的，在世界上也是独一无二的，这里是世界茶树的发源地。西南茶区出产的名茶有云南普洱茶、云南沱茶、滇红功夫茶，四川红茶、蒙顶茶、康砖、金尖茶等。早在千年以前，这里的紧压茶就已经随着马队的铃声在茶马古道上流通到全国，甚至越过边境，到达周边和更远的国家和地区。西南名茶是中国茶叶走向世界的第一步。

西南茶区

⊙区域范围

西南茶区位于中国西南部，茶树原产地的中心位于神农架、武陵山、巫山、方斗山以西，大渡河以东，红水河、南盘江、盈江以北，米仓山、大巴山以南。茶区范围包括四川、贵州、云南中北部和西藏东南等地。该区以高原和盆地为主要地形，有较好的水热条件，是中国最古老的产茶区。

⊙地理特征

西南茶区地形比较复杂，主要集中在盆地和高原地区。海拔高低悬殊，气候差别很大，以亚热带季风气候区为主。其主要的气候特点是春季较为干旱、夏季闷热、秋季雨水较多，适合各种类型的茶树生长。

这里的土壤类型也十分多样，云南中北部以赤红壤、山地红壤和棕壤较多；四川省、贵州省及西藏东南部以黄壤为主。该茶区是红碎茶出产销售的主要茶区。

⊙茶树品种

西南茶区栽培茶树的种类很多，有灌木型和小乔木型茶树，部分地区还有乔木型茶树。适宜的生态条件，使得盛产的茶叶品种也很丰富，该区主要出产红碎茶、绿茶、普洱茶和紧压茶等。

竹筒香茶

在云南的西双版纳，傣族人民采用大叶种晒青茶为原料，经杀青、揉捻后，放入底层装有糯米的小饭甑内蒸软后，再镶嵌于新鲜嫩甜的竹筒内，以文火烤干，剖开竹筒取出，做成竹筒茶。竹筒茶，既有茶香，又有甜竹的清香和糯米香，而且耐久储藏，将制好的竹筒香茶，用牛皮纸包裹好，存放于干燥处，其品质经久不变。竹筒茶是傣族人们敬客的珍品。

⊙特产名茶

古老的西南茶区地形各异，气象万千，有着丰富的茶叶种类。出产的名茶有云南的普洱、沱茶、滇红、紧压茶（主要是康砖、金尖、饼茶等）、翠华茶、大白茶、苍山雪绿，贵州的遵义毛峰、都匀毛尖、雷山银球茶、云雾茶，还有四川的蒙顶甘露、蒙顶黄芽、竹叶青、峨眉毛峰、碧潭飘雪、茉莉清茶、三花茶、嘉竹茶、嵊山茶等。

⊙六大茶山

"六大茶山"指盛产普洱茶的6座古茶山，其中包括攸乐古茶山、革登古茶山、倚邦古茶山、莽枝古茶山、蛮砖古茶山和慢撒古茶山。最早记载见于清檀萃的《滇海虞衡志》："普茶名重于天下，出普洱所属六茶山，一曰攸乐、二曰革登、三曰倚邦、四曰莽枝、五曰蛮砖、六曰慢撒……"六大茶山自宋朝开始闻

名天下，是中国最古老的茶区之一。除攸乐古茶山外，其余的五大茶山都在今天的云南省勐腊县，因位于西双版纳澜沧江以北，史称"江北六大茶山"。一江之隔的江南也有六大茶山，即勐宋、南糯、勐海、巴达、南峤和景迈。澜沧江一带的气候和地理环境十分适宜大叶茶的生长，因此这里出产的普洱茶品质十分出众，自古作为贡茶，名气远播，时至今日仍享誉中外。

滇红功夫茶

⊙大自然的恩赐

滇红功夫茶，又称滇红条茶，属大叶种类型的功夫茶。该茶主要产于云南澜沧江沿岸的临沧、保山、思茅、西双版纳、德宏、红河6个地州的20多个县，以凤庆最为有名，是中国功夫红茶中的后起之秀。滇红功夫茶芽叶肥壮，金毫显露，色泽乌黑油润，滋味浓厚鲜爽，香气高醇持久。这些独树一帜的品质，都源于澜沧江水和两岸山峦的滋养。

⊙品质鉴别

滇红功夫茶因采制时期不同，其品质也具有季节性的变化，一般春茶比夏茶稍好些，夏茶又略胜于秋茶。滇红香气浓郁，其香以滇西茶区的云县、凤庆和昌宁出产的为佳，滋味醇厚，回味清爽，香气高长且带有淡淡花香；而滇南茶区所产的功夫茶味道虽然浓厚，却略带刺激性。除季节与产地外，根据茶的条索、整碎、老嫩、净度、色泽等外形情况，也可以综合判断滇红品质的优劣。滇红功夫茶以一芽一叶为主制造而成，以条索紧结、洁净齐整、金毫多显、色泽乌润者为好。

⊙特级滇红

滇红功夫茶中，品质最优的当属"滇红特级礼茶"，全部以一芽一叶的鲜叶制成。成品茶具有条索紧直肥壮、芽锋秀丽完整、金毫多而显露、色泽油润乌黑等外部特征。冲泡后，汤色红艳透亮，滋味浓郁鲜爽，香气高醇持久，叶底红匀明亮。茶汤与茶杯接触处常显金圈，令人赏心悦目。茶汤冷却后立即出现乳凝状现象，通过观

名茶档案

滇红功夫茶

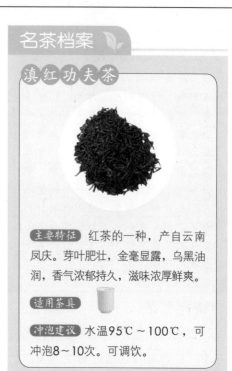

主要特征 红茶的一种，产自云南凤庆。芽叶肥壮，金毫显露，乌黑油润，香气浓郁持久，滋味浓厚鲜爽。

适用茶具

冲泡建议 水温95℃～100℃，可冲泡8～10次。可调饮。

察这种现象出现的早晚，也可判断滇红的品质，凝结现象出现得越早，说明茶的品质越优秀。

⊙品饮的方式

滇红的品饮从使用的茶具来划分，可分为"杯饮法"和"壶饮法"两种。从茶汤中是否添加其他调味品来划分，又可分为"清饮法"和"调饮法"两种。中国北方绝大部分地区，品饮红茶都采用"清饮法"，不在茶中加添其他的调料。而在南方广东、福建、台湾等地，多以加糖、奶或柠檬切片调饮为主，使营养更丰富，味道也富于变幻；在西藏、内蒙古等少数民族聚集地，"调饮法"则更为普遍，加入更加丰富的

调配料烹制出美味的酥油茶和奶茶。

⊙蜚声国际

滇红功夫茶，是世界茶叶市场上著名的红茶品种之一。滇红功夫茶是云南省传统的出口商品，主要出口俄罗斯、波兰、英国、美国等欧洲、北美共30多个国家和地区，深受国际市场的欢迎。

云南普洱茶

⊙独特的品种

普洱茶是在云南大叶茶基础上培育出的一个新兴茶种，原运销集散地在普洱市，故此而得名，距今已有1700多年的历史。普洱茶的产区气候温暖，雨量充沛，湿度较大，土层深厚，有机质含量丰富。

普洱茶采用优良品质的云南大叶种茶树的鲜叶为原料，可分为春、夏、秋3个规格。春茶又分为"春尖"、"春中"和"春尾"3个等级；夏茶又称为"二水"；秋茶又称为"谷花"。其中以"春尖"和"谷花"的品质为最佳。

⊙优秀的品质

普洱茶条形粗壮结实，芽壮叶厚，白毫密布，香气高锐持久，滋味浓强并富于刺激性，茶汤橙黄浓醇，入口后略感苦涩，稍后便顿生高雅沁心之感，香气可比幽兰清菊，甘津持久不散，

回味长久。普洱茶有散茶与型茶两种，型茶根据形状的不同可分为：沱茶、饼茶和砖茶等。

长期以来普洱茶都深受国内外茶人的肯定，远销港、澳地区，以及日本、马来西亚、新加坡、美国、法国等十几个国家。海外侨胞和港澳同胞更是将普洱茶当做养生佳品，对其格外青睐。

⊙普洱茶的冲泡

传统的云南普洱茶是用云南大叶种晒青毛茶经过特殊工艺精制而成。味道醇厚，具有陈香，茶味较不易冲泡出来，所以必须用滚烫的沸水进行冲泡，但也不宜过沸，这样的水含氧量过少，会影响茶叶的活性。一般茶与水的比例掌握在1∶50，在水的选择上，选用纯净水、矿泉水和山泉水为佳。若是茶砖、茶饼，则需拨开放置两周后再进行冲泡，茶的味道会更好。

在茶具选择上，由于普洱茶的浓度较高，故选用腹大的壶可避免茶汤过浓，建议瓷壶、陶壶和紫砂壶为上选。

即润茶。这一步在冲泡普洱茶时必不可少，因为好的普洱茶至少要陈放 10 年左右，通常饮用的普洱也大多储存了 1 年以上，所以可能会带有部分灰尘，润茶除了唤醒茶叶味道，也有清洗茶叶中杂质的作用。倒入沸水冲泡 15 秒左右，将茶水倒入公道杯中，用滤网过滤碎茶后，分别倒入小杯中饮用，切不可停留过长，以免茶汤过浓。普洱茶十分耐泡，可续冲 10 次以上。

⊙普洱茶的种类

普洱茶的种类划分有多种依据，但并不复杂。根据树种不同，普洱茶可分为乔木和灌木两种：乔木，即采乔木树叶做茶青，因叶片较大，又称"大叶茶"；灌木，即采用灌木树叶做茶青，叶片较小，也称"小叶茶"。

根据制作加工方法的不同，普洱茶可分为生茶和熟茶。生茶，初制后需要经历自然发酵，陈化数年后，茶性由刺激转为温和，方可饮用，简称"生茶"；熟茶，由人工发酵制成，茶性温和，制作完成后即可饮用，简称"熟普"。

根据存放方式的不同，普洱茶有干仓和湿仓之分。干仓普洱是存放于通风干燥的仓库中，茶叶自然发酵的普洱茶，陈化 10 ~ 20 年的品质最佳。湿仓普洱通常存放在湿度较大的地下室，空气中的水分可以加快普洱的发酵速度，陈化速度较干仓普洱快。

⊙普洱茶的饮用方法

饮用普洱茶通常需要以下几个步骤来保证茶的原味毕现。首先是温杯，即用滚水冲烫茶具，主要起到温壶、温杯的作用。随后放入茶叶，冲入茶具容量约 1/4 的沸水，然后快速倒出，根据普洱成茶的外形不同，还可以细分为：扁平圆盘状的普洱饼茶；形似碗一般大小的普洱沱茶；砖头形状的长方形普洱砖茶；还有未经压制的普洱散茶等。

⊙普洱茶的功效

长期饮用云南普洱茶，可使人体内的胆固醇、血尿酸等有所降低和改善。这是因为普洱茶是唯一的后发酵型茶，其茶碱、茶多酚等物质在长期的发酵过程中被分化掉，因而成茶品性温和，对人体无刺激，并具有防癌功能及减肥、降血脂等诸多保健作用，而且还能够促进新陈代谢，加速人体内毒素的消解和转化。

普洱茶的药理功用在古籍中早有记载，清人赵学敏《本草纲目拾遗》云："普洱茶性温味香，……味苦性刻，解油腻牛羊毒，虚人禁用。苦涩逐痰，刮肠通泄……"现代人尤其重视普洱茶减肥、降压、防癌抗癌以及抗衰老等奇效，饮用人群日趋广泛。

⊙普洱茶的收藏

普洱茶与其他种类的茶叶不同，绿茶以新采新制的为好，红茶或乌龙茶最长存储1～2年的时间。相对而言，普洱茶有越陈越香的特点，可以存放很长时间，如果储存得当，可陈化百年。普洱存放的时间越长久，味道反而越醇厚，价值也越高。除散茶外，紧压成型的普洱茶可以制成各种形状，小如丸药，大如巨型南瓜，方形、球形、饼形，匾额、屏风、一盘象棋、一幅浮雕均可由压制的普洱茶呈现出来。在现代工艺的包装下，普洱茶不但可以收藏，还可以赏玩。有些人把收藏普洱茶比作收藏葡萄酒，是"可以喝的古董"。

普洱茶可饮用、可养生、可鉴赏、可升值。一块新茶饼以数百数千元收购回来，10年后则价值数万元，正是这巨大的升值潜力使普洱茶的收藏风靡大江南北。

名茶档案

云南普洱茶

主要特征 产自云南。条索粗壮紧实，色泽乌润或褐红，白毫显，独特陈香高远持久，醇厚回甘，具有诸多保健功效。

适用茶具

冲泡建议 水温100℃，可冲泡8～10次。

⊙普洱茶的辨别

普洱散茶:一般分特级、1至10级，共11个等级，质量体现在外形和内质两个方面。普洱茶外形壮实，色泽褐红光润，条索整齐、紧结，芽头多毫；表面有霉花、霉点的均为劣质的普洱茶。

冲泡后的普洱茶汤色浓艳明亮，如红酒醇浓剔透；黄色、橙色或暗黑浑浊的则为劣质茶。发出沁人心脾的陈香，且悠长高远的是上等普洱茶；带有霉味或阴沉香气的是劣质普洱茶。优质普洱茶的滋味浓醇、滑润，饮后舌根生津，口中香气盘旋；劣质普洱茶则滋味平淡，甚至苦涩，饮后舌根两侧感觉不适。

⊙普洱茶的储存

普洱茶和其他茶叶不同，可以存放很长时间。但并非无限期的存放，任何物质都有一定的"寿命"。

由于空气中的氧可以加速茶叶的发酵陈化，潮湿的环境容易使茶叶霉变，太阳直射会破坏茶叶中的营养成分，而空气中的异味也极易被茶饼吸附，因此普洱茶一般存放在通风、干燥、阴凉、无杂味的地方。数量较多时可以放在瓷罐或紫砂缸里保存。

一般来说，生茶存放3～5年即可饮用，20年左右的时间，就可以达到很好的饮用效果。也有存放时间更长甚至达上百年的"古董普洱"，必须保证适当的储存条件才能保证其品质。但对于发酵过的"熟茶"，一般即买即饮，最多存放2～3年后饮用。

↓普洱茶的器皿、茶汤。

蒙顶茶

⊙风水宝地蒙顶山

蒙顶山是一处风水宝地，秀丽的自然环境，遍山苍翠，花香飘散，奇峰险地且怪石嶙峋，山间清泉飞瀑，四季风景佳绝。蒙顶山不仅与峨眉山、青城山并称蜀中三大名山，而且因茶神吴理真在此种茶的传说，使其成为一座"神山"。又因为茶与佛之间的密切关系，蒙顶山还是茶佛文化的发源地之一，也是一座"圣山"。同时，蒙顶山还是蜀地本土文化的发源地之一。正是这样优越的自然环境和文化内涵丰富的人文环境孕育出品质超群的蒙顶茶，"仙茶"的声名远播，也使蒙顶山成为一座神秘的"茶山"。

⊙神秘的采制仪式

蒙顶茶是中国的名茶之一，产于四川名山县的蒙山五顶（上清、菱角、毗罗、井泉、甘露）。早在唐代，蒙顶茶便被列为贡品，一直延续了千年之久。在古代，蒙顶茶的采制过程弥漫着神秘气息。每年春天茶树刚抽芽的时候，当地县令便选择吉日，沐斋之后穿上朝服，率领同僚以及随从来到五顶中的最高峰——上清峰，设案焚香，行跪拜大礼，之后与特别挑选出来的12名僧人一起进入茶园，细心地选择采摘茶叶。一般只摘取一叶，采

蒙 顶 茶

主要特征 绿茶的一种，产自四川雅安。外形纤细，身披银毫，嫩绿油润，馥郁芬芳，味醇甘鲜。

适用茶具

冲泡建议 水温75℃~85℃，可冲泡3次以上。

足360叶后便交由茶僧去炒制。在炒制茶叶的过程中，旁边还要有众寺僧盘坐诵经。在茶叶烘焙完成后，精选其中精良的茶叶作为贡茶，其余的作为副贡，献给地方官吏。

⊙蒙顶茶的主要品种

由于制作过程的精雅和神秘，使得蒙顶茶历来被视为茶中珍品。蒙顶茶也只是对蒙山所出产的茶的总称，它具体包含不同的品种，其中的名优品种主要有蒙顶甘露、蒙顶石花和蒙顶黄芽三大品类，其中尤以蒙顶甘露为上。

每一种蒙顶茶的制作方法不尽相同。就蒙顶甘露来说，它的采摘标准是茶叶初展时候的一芽一叶，要经过鲜叶摊放、高温杀青、三炒、三揉、三烘和整形等数道工序制成。最后，形成蒙顶甘露在外形上紧卷多毫、色泽嫩绿匀润、芽叶纯整的特点，而且冲泡之后汤色黄绿，清澈明亮，香气芳郁且回味香甜。

⊙品茶之龙行十八式

品饮蒙山茶很有讲究，除了茶、水、器、室、人等方面的特别要求之外，尤其是在茶的冲泡技术方面要求更加精致。在蒙山上的茶技，流传着"龙行十八式"的绝活，进而形成了将沏茶与禅茶融合为一的独具特色的蒙山茶道。蒙顶龙行十八式是将舞蹈、武术、禅、茶、艺、理熔为一炉的特殊茶道。

据传品饮蒙顶茶的龙行十八式由宋代高僧禅惠大师所创。十八式包括：蛟龙出海、白龙过江、乌龙摆尾、飞龙在天、青龙戏珠、惊龙回首、亢龙有悔、玉龙扣月、祥龙献瑞、潜龙腾渊、龙吟天外、战龙在野、金龙卸甲、龙兴雨施、见龙在田、龙卧高岗、吉龙进宝、龙行天下。每一招、每一式都极具艺术性和观赏性，不仅扣人心弦，而且充满玄机。

⊙蒙顶"仙茶"的传说

由于蒙顶茶的奇特功效，关于蒙顶"仙茶"的传说也有许多，而且流传久远，最具代表性的有两个：第一个是说在西汉末年，当地一位叫做吴理真的仙人在蒙顶山上清峰栽种了七棵仙茶树。如果有人采制了这七棵茶树上的茶泡饮，可以治疗各种疾病，甚至可以羽化飞仙。这七棵仙茶树像天降甘霖一样，后人便称之为"甘露茶"。另一个传说，说的是很久以前，一位得了重病的老和尚在梦中受到一位老仙翁的提示，于春分前后，饮用了从蒙顶山茶树上采制的"仙茶"，不但治愈了自己的病，还得到返老还童的奇效。这个消息很快传播开来，人们便惊奇地称蒙顶山茶为"仙茶"。

江北名茶

　　江北茶区是中国的四大一级茶区之一，是中国最北的产茶区。在天气相对寒冷、气候变化相对明显的区域，成功地种植茶树，能制造出品质优秀的茶叶，是一个成功的试验和创举，也是茶的发展的一个里程碑，并且是茶文化普及的一个证明。江北名茶的种类也许相对少一些，包括传统的六安瓜片、信阳毛尖以及名茶新锐的崂山茶、日照茶等，但是这些名茶禀赋了独特的小气候环境，从而具备了其他名茶所不具备的特点，使中国名茶的目录更为详尽，为中国茶文化的发展添加了浓墨艳彩的一笔。

江北茶区

⊙区域范围

　　江北茶区位于长江以北，秦岭、淮河以南，东自山东半岛，西达大巴山，包括甘肃南部、陕西西部、湖北北部、河南南部、安徽北部、江苏北部、山东东南部等地。地形复杂，气温较其他茶产区偏低，是中国最北部的茶叶产区。

⊙地理特征

　　江北茶区的地形比较复杂。茶区土壤以黄棕壤和棕壤为主，土壤酸碱度略偏高，是中国南北土壤的过渡类型。茶区气温较低，四季分明，冬季时间较长，年平均气温为15℃~16℃，冬季最低温为 –10℃，茶树很容易遭冻害。年降水量偏少，800~1100毫米，而且分布不均，干旱时节需要借助灌溉，因此茶树新梢的生长时间比较短，采茶时间只有180天左右，产量较低。这是中国茶树生长条件较为不利的区域，但这并没有影响江北茶区的茶叶品质。

⊙茶树品种

　　江北茶区茶树类型主要为灌木型中小叶群体，抗寒性较强。这类茶树树冠较矮小，自然生长状态下，树高通常只有 1.5~3 米，主干与分枝不明显，分枝密集，多出自近地面根颈处，茶树叶片小，其根系分布较浅，侧根发达。这也是中国栽培最多的茶树品种。

⊙ 特产名茶

　　江北茶区由于受地理环境的影响，茶叶产量相对较低，但仍然有优质的茶叶出产。陕西西乡的午子仙毫、汉水银梭、泰巴雾峰，河南的信阳毛尖，安徽的六安瓜片、舒城兰花茶、天柱剑毫、金寨翠眉、山东崂山茶、日照茶等都是品质上佳的名茶。其中崂山茶因其翠绿的色泽、清纯的口感被称为"茶中新贵"，以盛产绿茶而闻名的山东省青岛市崂山区也因此有"中国江北名茶之乡"的美誉。

信阳毛尖

⊙ 千年历史

　　1987 年，考古学家在信阳固始县的古墓发掘中发现了茶叶，据考证距今已有 2300 多年的历史，由此可见信阳有着悠久的种茶历史。唐代时信阳毛尖已经成为朝廷贡茶，茶圣陆羽在《茶经》中记载了当时全国盛产茶叶的 13 个省 42 个州郡，并划分为 8 大茶区，其中的淮南茶区就包括信阳一带。《茶经》中载："淮南茶，光川上。"北宋时期的大文学家苏东坡也曾赞叹道："淮南茶，信阳第一。西南山农家种茶者甚多，本山茶色味香俱美，品不在浙闽下。"近年，信阳红茶风暴吹向全国，专家又说："信阳红，光川香。"

↑如果说茶是茶文化中隐藏的本质，那么茶具就是最明显的表象特征。

⊙崇山峻岭的优势

历史上的信阳毛尖主产于现在的信阳市浉河区、平桥区和罗山区，而后在信阳西南的崇山峻岭中又有了著名的车云山、集云山、连云山、天云山、云雾山、黑龙潭、白龙潭、何家寨，以这些地方出产的信阳毛尖品质最佳，被当地人称为"五云两潭一寨"。

正如人们常说的，"云雾高山有好茶"。这里海拔高度在300~800米，有着山高雾浓、空气湿润、光照适宜、土层深厚、有机质丰富、水质纯净等诸多天然优势，成就了信阳毛尖卓越上乘的品质和独特诱人的魅力。

⊙三季采摘

俗语说："春茶苦，夏茶涩，秋茶好喝舍不得。"——说的正是信阳毛尖的采摘。信阳毛尖一年可摘三季，制作出来的茶叶即春茶、夏茶、秋茶3个品种。

阳春三月，茶芽开始萌发，春茶的采摘时间为40天左右，以谷雨前采摘的为最好，也叫"雨前毛尖"，茶芽碧绿，茶汤的滋味先苦后甜。最迟到五月底，春茶的采摘就要结束了，之后停采5~10天，则开始采摘夏茶。夏茶颜色发黑，茶汤略带涩味，采摘时间为30天左右。白露过后，采摘的茶为秋茶。秋茶的香气和味道别具一格，但产量较少，因而格外珍贵，与春茶同为信阳毛尖中的上品。

⊙手工炒制

鲜叶采摘后需要及时炒制。信阳毛尖的炒制工艺主要有生锅、熟锅、烘焙、拣剔4个过程。

贡茶

贡茶作为中国封建礼制的产物，起源于西周，自唐代开始形成规模，经宋、元、明历代发展，直至清朝最终消亡。贡茶的出现对整个茶文化的发展起着巨大的推动作用，茶叶的生产也因其受到很大的影响。

西周时期，诸侯国向周王国纳贡的物品里就包含了茶叶，但贡茶并没有代代相传。直到唐朝，茶叶生产进入了重要时期，贡茶开始形成制度并历朝延续。宋朝贡茶的品质和数量都有了更大的发展，并且对民间茶叶的生产起到了重大影响。明朝贡茶由团饼发展为散茶，制茶法和品茶法都进入了新时期。清朝中后期随着封建制度的瓦解，贡茶制度逐渐消亡。

炒"生锅"即杀青和初揉。鲜叶的档次越高，锅温越低，炒制时间根据芽叶的老嫩、肥瘦、水分多少灵活掌握。炒至叶片变软蜷缩，条索明显，嫩茎折而不断即可进入"熟锅"。熟锅是毛尖成形的关键步骤，除蒸发水分、发挥香气之外，使外形达到细、圆、紧、直的特点后，及时进行烘焙，以彻底破坏茶叶残余的活性酶，起到初步固定其形、色、香、味的作用。

毛尖初制后还要经过人工分拣，剔去粗老叶、黄片、茶梗和碎片，这些称为"级外茶"；留下来的条形茶，颜色翠绿，大小均匀，才符合制作高档信阳毛尖的标准和要求。

⊙明辨真伪

作为名优品种的信阳毛尖，是馈赠亲友、孝敬长辈的佳品，不仅享誉国内，还远销海外，销量好，价格高，因此市场上出现了很多假毛尖，或以陈代新，或以次充好，或以假乱真。如要明辨信阳毛尖的真伪，需要从以下几个方面着手。

首先，看外形。取适量茶叶摊于白纸上仔细察看，条索紧实、粗细一致、嫩度高、碎末少、色泽匀整的则是上乘毛尖。再用双手捧起茶叶，置于鼻端，用力深吸茶叶的香气，具有熟板栗的香气且高远纯正的必然是优质茶。

名茶档案

信阳毛尖

主要特征 绿茶的一种，产自河南信阳。外形细、圆、光、直，多白毫，色呈深绿，香高持久，带有熟板栗的香气，滋味浓醇，回甘生津。

适用茶具

冲泡建议 水温75℃～85℃，可冲泡4～5次。

然后，取茶叶3~5克，放入白色瓷杯中，用沸水200毫升左右冲泡。此时，先嗅香气，将冲泡后的茶汤立即倾出，把茶杯连叶底一起送入鼻端，茶香清高纯正，令人心旷神怡者即为好茶。汤色以浅绿或黄绿为宜，清而不浊，明亮澄澈为上乘。滋味一般以浓醇爽口为上品。

最后评叶底，以软亮匀整为好。

市场上假冒的信阳毛尖，一般带有人工色素或叶片发黄，条叶形状不齐，汤色深绿、暗，无茶香，味淡薄、苦涩且有异味。

⊙保健功能

信阳毛尖不但香气鲜浓，口感鲜醇，而且含有丰富的蛋白质、氨基酸、生物碱、茶多酚、有机酸、芳香物质、各种维生素以及水溶性矿物质，具有强身健体的保健作用，对多种慢性病还有医疗效果。

常饮毛尖茶，能降低血压。茶叶内所含的咖啡因和儿茶素能促使人体血管壁松弛，使血管壁保持一定的弹性，消除血管痉挛。毛尖茶还具有净化人体消化器官的作用。茶叶中所含的黄烷醇可以净化消化道中的微生物及其他有害物质，同时对胃、肾、肝等内脏器官具有特殊的净化作用，特别有助于脂肪类物质的消化，并能预防消化器官疾病的发生。

此外，信阳毛尖还具有生津解渴、清心明目、提神醒脑、防癌和防御放射性元素等多种功能。

⊙荣誉披身

喜欢饮绿茶的人，无不知晓"信阳毛尖"。据史书记载，历史上，信阳毛尖一直作为朝廷贡品，得到了无数茶人的喜欢和赞誉。传说，唐代武则天患了肠胃疾病，久治不愈，饮用了地方进贡的信阳茶后获愈，大喜，特下旨于车云山建千佛塔一座，以彰茶功。

到了近现代，信阳毛尖更是享誉世界。1915年，信阳车云山出产的毛尖在巴拿马万国博览会上崭露头角，荣获一等金奖的桂冠，自此驰名海外。

1959年的全国名茶鉴定会上，经评茶界专家的评选，信阳毛尖被列入中国十大名茶。1985年、1988年、1990年、1991年、1999年，信阳毛尖又先后多次在全国名优茶评比中获得金奖、银奖。时至今日，信阳毛尖已经不仅仅是受欢迎的饮品，更成为有着丰富内涵和体现国家茶文化精髓的使者。

六安瓜片

⊙片茶

六安瓜片，简称片茶，以其形似瓜子而得名，是中国著名绿茶品种之一，也是绿茶中唯一去梗去芽的特种茶。据考证，六安产茶始于唐代，在宋代已有"茶中精品"之美誉。六安瓜片在明代成为贡茶，有《六安州志》记载："茶之精品，明朝始入贡。"清朝时，慈禧的膳食单上曾有"月供齐山云雾瓜片14两"的记载。1905~1920年间，

六安瓜片开始在市场上出现；1949年，被列为中国十大名茶之一；之后多次在全国茶评会上获得金奖，盛誉满载。近年来，又因其具有一定的保健药效，逐渐受到海外市场的欢迎。

六安瓜片外形单片平展、顺直、匀整，叶边背卷，形似瓜子，色泽宝绿，满披白毫，明亮油润，汤色明澈，香气高远，味甘鲜醇，叶底黄绿。

⊙产地

六安瓜片主要产于安徽西部大别山区的六安、金寨、霍山3县，因金寨、霍山旧时同属六安州，故名。它最先源于金寨县的齐云山，也以齐云山出产的瓜片茶品质最佳，因此又名"齐云瓜片"。

齐云山主峰海拔800多米，四周峰峦叠翠，气候温暖湿润，云雾弥漫，土壤肥沃，草木葱茏。茶树生长在这里，日照适宜，养分充足，环境纯净，受着朝露暮雾的滋润，故而产出的茶外

周恩来以茶怀人

1975年深秋的一天，重病在身的周恩来总理突然问医护人员："有没有六安瓜片茶？我想喝点六安瓜片茶！"当周总理喝着工作人员找遍京城大小商场才觅得的六安瓜片沏的热茶时，他回味良久，神情凝重地对医护人员说："谢谢同志们！我想喝六安瓜片，是因为想起了叶挺将军。早年叶挺担任新四军军长的时候，他就送给我一筒六安瓜片。"

周恩来以茶怀人，若说茶情是心灵的一种体现，那么从他的临终茶思，我们看到的是那崇高人格的一个侧影，是茶道精神升华的体现。

名茶档案

六安瓜片

主要特征 绿茶的一种，产自安徽六安。形似瓜子，色泽翠绿，披白毫，香气清高，味甘鲜醇，具有一定的药效。

适用茶具

冲泡建议 水温80℃～90℃，可冲泡6～8次。

作为一种新产品推出，结果销量大增，获得了广泛的欢迎。其他茶行听说后，也纷纷效仿，如法采制，并为此茶起名为"蜂翅"。

这件事被住在皖西齐云山的一位老茶农知道了，他得到启发后，不但把采回的鲜叶剔除茶梗，还拣出茶芽，只留下叶片，然后将嫩叶和老叶分开炒制，结果制出的成茶无论色、香、味、形，均使"蜂翅"相形见绌。后来，他将此法授予附近的茶农，这种茶在茶市上出现得越来越多，就此逐渐成为一个独特的品种，因其外形完整，光滑顺直，酷似葵花子，而被人们称为"瓜子片"，简称"瓜片"，其主要出产在六安一带，故称"六安瓜片"。

↑清·青花花卉梨壶

形优美，内质极佳。齐云山上靠近山顶处所产的瓜片为内山瓜片，山腰和山脚下所产瓜片为外山瓜片。

在齐云山高处所产的内山茶中，以南坡峭壁上的一处蝙蝠洞最具特色。洞口高约16米，洞深3米多，无数蝙蝠栖息于洞内，排撒富含磷质的粪便，成为天然肥料，日积月累使土壤肥沃，洞口几株茶树，树高叶大，芽叶肥壮，制成的瓜片，号称极品。

⊙名茶的来历

据六安当地人流传，1905年前后，六安茶行有一位评茶师，他将收购回来的绿茶挑出茶梗，只留下嫩叶，

↑清·宣统窑描红龙纹杯

⊙细采精制

六安瓜片的采制方法颇为特别，格外讲求精巧细致。首先，采摘不能太嫩，要等到茶树上的新芽全部展开才可以采。采摘时间较其他名优茶类要推迟15~20天以上，高山茶区比低海拔地区更迟一些。顶芽全部开展，嫩叶生长成熟，可以使茶叶中所含的有益成分进一步提高。

其次，采摘的过程十分精细。芽叶一定要选择茎顶上的一芽三叶，因为那是片茶最好的芽叶。然后，将采回的鲜叶进行"摘片"，也称为"板片"，即将鲜叶与茶梗分开。具体步骤是：首先摘下第三叶，后摘第二叶，再摘第一叶，最后将芽连同上部嫩梗与下部的老梗或第四叶拆开，这一步也完成了精细的分级。

最后是把叶片炒开。炒至萎凋状态时，即叶片变得柔软，及时出锅烘干。每次烘叶量仅100~150克，烘至色泽翠绿起霜，平展匀整，茶香充分发挥时趁热装入容器密封储存，即可达到外形与内置的两全其美。

⊙等级的划分

历史上六安瓜片根据原料的不同，分为"提片"、"瓜片"和"梅片"3级。提片采用最好的芽叶制成，质量最优；瓜片为第二片次之；梅片为第三片稍差些。现在的六安瓜片分为"名片"和瓜片4级，共5个级别。名片只限于齐云山附近的茶园出产，品质最佳。瓜片根据产地的海拔高度不同又可分为"内山瓜片"和"外山瓜片"，其中内山瓜片的质量要优于外山瓜片。

⊙入药珍品

六安瓜片既是消暑解渴的上佳茶品，又是清心明目、提神解困的良药，不仅可以生津，更是消食、解毒、美容、去疲劳的保健佳品。关于六安瓜片，自古便有许多具有"神效"的传说，但这些传说大多从侧面说明六安瓜片的药效。明代闻龙在《茶笺》中称"六安精品，入药最效"，现代医学刊物也曾用"六安精品药效高，消食解毒去疲劳"来总结六安瓜片的独特药效。

崂山茶

⊙茶中新秀

崂山茶历史并不长，1959~1962年，崂山林场的工作人员从江南引进茶苗试种，经过精心培育和管理，在太清宫林区的茶树不但成活并安全越冬，这就是崂山茶的雏形。也有民间传说，崂山茶是由中国道教全真派的创始人之一的丘处机和明代太极创始人张三丰等道士自江南移植，亲手培育而成，数百年来仅作为崂山道观的养生珍品而没有外传。

崂山茶枝条粗壮，叶片肥厚，制出的茶十分耐冲泡，品饮时有豌豆和熟板栗的香气四溢飘散。崂山茶树的生长环境极佳，生长缓慢，内含大量的营养物质，有明显的保健功效，因而很快得到茶界的认同和欢迎，远销海外。

⊙山海相依

茶树是喜温喜湿的植物，在北方的适应能力差，多次引种培育，但是成功率很低，特别是冬天，冻害严重，培育出名优茶种是难以攻克的难题。众多的因素一直影响着北方茶树的生长、繁殖和推广工作。

崂山风景区内，山海相依，空气纯净，云雾缭绕，名泉、道观隐于其内，奇峰异石，植物繁茂，别有洞天。其优越的气候环境，独特的地理条件，

主要特征 绿茶的一种，产自山东青岛。外形紧实，条索纤细，嫩绿隐翠，香气清幽，鲜爽生津。具有诸多保健功效。

适用茶具

冲泡建议 水温80℃~90℃，可冲泡5~6次。

培育出优秀的崂山茶，使这里成为江北绿茶第一个成功的发源地。

⊙冲泡方法

冲泡崂山茶格外讲究泡茶用水和水温的把握。好水泡好茶，要泡出崂山茶自然纯正的品质，当以崂山泉水为上佳。冲泡时，水温应控制在85℃左右，即把水烧开后，稍微静置一段时间再冲入杯中。这是因为水温过高会使娇嫩的崂山茶被烫"老"，伴有轻微的煳味儿；如果水温过低，则"逼"不出茶香。

⊙崂山茶的种类

传统的崂山茶系共分3大类，包

括崂山绿茶、崂山石竹茶和崂山玉竹茶。

崂山绿茶：生长在崂山地区的茶树，因光照时长、霜期较长、昼夜温差大而生长缓慢，因此有更多的时间积累养分。崂山绿茶含有大量的茶多酚、咖啡因、维生素、蛋白质和芳香物质，不但清香醉人，还有益于人体健康，可以解除疲劳，清心明目，消毒止渴，促进血液循环，令饮用过的人赞不绝口。崂山绿茶在全国绿茶中享有极高的声誉，被誉为"江北第一名茶"，通常人们所说的崂山茶，即指崂山绿茶。

崂山石竹茶：崂山石竹为纯野生草本植物，多生长于崂山南面、太阳能够照射到的山崖石缝中。它内含丰富的皂苷、维生素和糖类，有清热、消炎、养气、通络的药用功能。崂山石竹茶即由崂山石竹烘炒加工制成，当地人称其为"崂山绿"。因其特殊的生长习性和崂山的气候环境，石竹生长期长，采摘次数少，使得崂山石竹茶品质自然纯正，色泽翠绿，

香气浓郁持久，滋味醇爽，独具特色，饮后齿颊留香、甘爽生津，回味无穷，为茶中极品。

崂山玉竹茶：崂山玉竹与石竹正好相反，多生长于崂山北面、太阳照射不到的背阴处，属性为阴，生长速度非常缓慢，每年只长出1~3厘米。每逢秋季采摘，经过摊晾使水分完全挥发后，即可制成饮品。冲泡后，口味甘甜，养阴润燥，生津止渴，对燥热咳嗽、内热消渴等具有一定的疗效。

茶具篇

四之器

　　风炉（含灰承），以铜铁铸之，如古鼎形，厚三分，缘阔九分，令六分虚中，致其杇墁①。凡三足，古文书二十一字。一足云：坎上巽下离于中②；一足云：体均五行去百疾；一足云：圣唐灭胡明年铸③。其三足之间，设三窗，底一窗以为通飙漏烬之所。上并古文书六字：一窗之上书"伊公"二字；一窗之上书"羹陆"二字；一窗之上书"氏茶"二字，所谓"伊公羹、陆氏茶④"也。置墆㙟于其内，设三格：其一格有翟焉，翟者，火禽也，画一卦曰离；其一格有彪焉，彪者，风兽也，画一卦曰巽；其一格有鱼焉，鱼者，水虫也，画一卦曰坎。巽主风，离主火，坎主水，风能兴火，火能熟水，故备其三卦焉。其饰以连葩垂蔓曲水方文之类。其炉，或锻铁为之，或运泥为之。其灰承，作三足，铁柈抬之。

注释

①杇墁：本来指涂墙用的工具，这里指涂泥。

②坎上巽下离于中：坎、巽、离都是八卦的卦名，坎代表水，巽代表风，离代表火。

③盛唐灭胡明年：盛唐灭胡，指唐平息安史之乱，时间是唐代宗广德元年（763）。那么盛唐灭胡明年则是公元764年。

④**伊公羹、陆氏茶：**伊公，指商汤时的大尹伊挚。传说他善调汤味，故称"伊公羹"；陆就是陆羽自己，"陆氏茶"则指陆羽煎茶。

🍃 | 煮茶的器具

　　风炉（含灰承）：用铜或铁铸成，形同古代的鼎的样子，壁厚约3分，直径约9分，中间空约6分，用泥涂糊。炉有3只脚，脚上铸有古文字21个：一只脚上写有"坎上巽下离于中"；一只脚上写有"体均五行去百疾"；另一只脚上写有"圣唐灭胡明年铸"。3只炉脚之间有3个洞口，炉底下的一个洞用来通风漏灰烬。3个洞口上方写有6个字：一个洞口上方写"伊公"2个字；一个洞口上方写"羹陆"2个字；另一个洞口上方写"氏茶"2个字，就是"伊公羹，陆氏茶"的意思。炉上有架锅用的堁，其内分为3格：一格上画有野鸡的图案，野鸡是火禽，此为离卦；一格上画有似虎非虎的彪，彪是风兽，此为巽卦；一格上画有鱼的图案，鱼是水虫，此为坎卦。"巽"主风，"离"主火，"坎"主水，风能使火烧旺，火能把水烧开，因此要有此三卦。炉身的装饰通常还有用花卉、树木、流水、其他图案花纹等。风炉的炉身，有的用铁锻造而成，有的用泥土烧制而成。风炉的灰承，通常是一个有3只脚的铁盘，将炉身托起。

茶器

正所谓"水为茶之母，器为茶之父"，对器的强调和要求正凸显了茶人对品茗的完美追求。陆羽在《茶经》中便精心设计了适于烹茶和品茗的二十余种茶器。

一般茶器需要兼具实用和美感的特性。从备水，到理茶、置茶、品茗和洁净，每一个环节和步骤都要求配备有专门且精致的茶器。中国古代，茶器使用的精细过程，还蕴涵着丰富的文化思想和礼仪于其中。

精巧别致的茶器在招待宾朋的时候，既是一种感官享受，也表达了深厚的情感。从茶艺的角度来说，品茶是展演性的艺术享受，细致精巧的茶器在品茶过程中增加了许多雅致情调。

备水器

⊙煮水壶

煮水壶是用来煮开水用的泡茶辅助器具。陶制的煮水壶有保温的作用，是较佳材质。现代的煮水壶，通常会在壶底加一层保温材质，以保持水温。在茶艺表演中泡茶的时候，使用较多的有紫砂提梁壶、玻璃提梁壶和不锈钢壶等。

⊙茗炉

茗炉是用来煮烧泡茶水的炉子。为表演茶艺的需要，现代茶艺馆经常备有一种"茗炉"，炉身为陶器，下有一金属支架，中间放置酒精灯，点燃后，将装好水的水壶放在"茗炉"上，可用来烧水或保持水温，便于表演。

↑ 银质水壶

另外，现代茶艺馆及家庭使用最多的是"随手泡"，它是用电来加热烧水，加热开水时间较短，水开后可以自动断电，方便快捷。

⊙暖水瓶

暖水瓶是用来储备沸水的泡茶辅助用具，具有保温瓶作用。瓶口较小，

134

用来保存热水。在泡茶时，当无须现场煮沸水时使用。暖水瓶中的开水注满茶壶后倒出，起到预热茶壶的作用。

⊙水注

品茶时注汤用的汤瓶，又称为"茶瓶"或"汤提点"。一般是壶嘴细长、壶身较长的水壶。可盛放冷水，注入煮水器加热；或盛放开水，温具时用来注水或者等水温稍降冲泡茶叶。

水注也用来点汤分茶，如杨万里在《澹庵坐上观显上人分茶》诗中说："分茶何似煮茶好，煎茶不似分茶巧。"水注的完美运用，增进了茶艺阳春白雪似的精巧韵味。

⊙水方

水方是用来储存生水的泡茶辅助用具。陆羽的《茶经》中记载："水方以稠木、槐、楸、梓等合之，其里并外缝漆之，受一斗"。一般水方与存储淋注茶壶水的茶船通称"水方"，实际二者功用有别。水方的出现增加了茶艺的精细与优雅。

↓紫砂陶壶用来煮水，颇具古风遗韵。

理茶器

⊙茶夹

茶夹又称茶筷，功用与茶匙相似。用于烫洗杯具和将茶渣自茶壶中夹出，有人也用它挟着茶杯洗杯，防烫又卫生。明代李贽写有隽永小品《茶夹铭》，其言"我老无朋，朝夕唯汝……夙兴夜寐，我与子终始"，素朴悠然的词句增加了茶夹的文化意蕴。

⊙茶浆

撇去浮于茶汤表面的茶沫的用具，尖端用于通壶嘴。茶叶冲泡第一次时，表面会浮起一层泡沫，此时可用茶浆拨去泡沫。品茶时出现的泡沫不能用嘴吹或者直接倒掉一点，而是要用茶浆拨去。在娴静之间，凸显高雅品致。

⊙茶针

状为一根细长针形的泡茶用具，

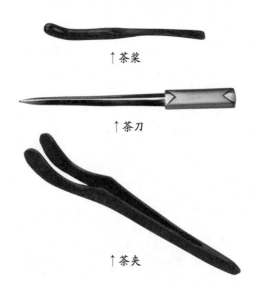

↑茶浆

↑茶刀

↑茶夹

故名为茶针，多以竹、木制成。茶针除用来疏通茶壶的内网，保持水流畅，还用于疏通壶嘴以及茶盘出水孔，以免茶渣阻塞，造成出水不畅。

茶针精致与修长尖细的外形，加上疏通涤淬的用途，为品茶增进了清静舒畅、精巧雅致的享受。

⊙茶刀

茶刀通常在冲泡普洱茶时使用。取一小块茶饼放入茶荷后，用茶刀轻轻撬开，将撬下的碎片放入壶中，冲泡时更容易得到较浓的茶汤。

由于茶叶种类不同，用茶刀时不必将茶敲打得过于细碎，以免粉末较多。用茶刀适度按压，疏活茶叶，利于茶香发散、茶韵浓烈。

置茶器

⊙茶瓮

用于大量储存茶叶的容器，通常为陶瓷。小口鼓腹，储藏防潮。也可以用马口铁制成双层箱，下层放干燥剂（通常用生石灰），上层用于储藏茶叶，双层间以带孔搁板隔开。经过茶瓮储存的茶叶，可以保持茶叶口味的长期不变，甚至增加茶叶的韵味。

⊙茶罐

作为备茶器具的茶罐一般分为茶样罐和储茶罐两种。茶样罐为泡茶时用于盛放茶样的容器，体积较小，装干茶 30~50 克。储茶罐或储茶瓶为大量储藏茶叶用，约能储茶 250~500 克。为确保密封，应用双层盖或防潮盖。储茶罐一般为金属或瓷质，且造型美观多样、韵味雅致丰富。

⊙茶匙

　　一种长柄、圆头、浅口的小匙，用于将茶叶由茶样罐中取出，或者从茶壶内取出茶渣时使用，不可以沾水。茶匙多为竹质，如今亦有黄杨木质，一端弯曲。茶匙要求击拂有力，古代也有以黄金、银、铜制成。

⊙茶则

　　分盛茶叶用的器具，一般为竹制。将宽一点的竹竿切开，利用竹管内部自然形成的节隔，可制作成茶则。其中宽的茶则是盛散茶入壶之用具。另一类茶则偏小，有的一端尽头稍微向上隆起，在茶道中用来将粉末茶盛入茶碗。

⊙茶荷

　　茶荷既可以观看鉴赏茶样的质色，同时也做置茶分样用。需先将茶叶装入茶荷内，此时可将茶荷递给客人，鉴赏茶叶外观，再用茶匙将茶荷内的茶叶拨入壶中。茶荷的使用增加了品茗的观赏性和情趣。

⊙茶漏

　　茶漏呈圆形漏斗状，形制小巧，也叫做茶斗。一般泡茶所用茶壶壶口皆较小，当用小茶壶泡茶时，将其放置壶口，茶叶从中经过缓缓漏进壶中，以防茶叶洒落到壶外。茶漏在茶艺表演过程中有导引茶叶入壶的功用，具有优雅的动感和韵律。

↑陶瓷质地的茶荷目前在市面上最为常见。

↑闻香杯与品茗杯大小相似，形状各异，与茶托一起，三者为一组，最适宜用来品饮乌龙茶。

品茗器

⊙茶海

　　茶海也叫做茶盅或公道杯，形状似无盖的敞口茶壶。茶海的容积要大于壶或盖碗，一般为瓷器、紫砂、玻璃器等。从外观上分为无柄和有柄两种，有的还有内置过滤网。

　　茶海的功用大致为：盛放泡好茶汤，再分倒各杯，使各杯茶汤浓度相若，沉淀茶渣。当茶壶内的茶汤浸泡至适当浓度后，将茶汤倒至茶海，再分倒于各小茶杯内，这样可以均匀汤汁的浓度。于茶海上覆一滤网，可以滤去茶渣、茶末。

⊙闻香杯

　　闻香杯顾名思义，即用来品闻茶香的专用杯子。它的容积与品茗专用的品茗杯相仿，但杯身细长而高，容易聚香。使用闻香杯时，将茶杯倒扣在闻香杯上，用手将闻香杯托起，稳妥地倒转，使闻香杯倒扣在茶杯上，稳稳地将闻香杯竖直向上提起（此时茶汁已被转移到了茶杯内），将闻香杯再次倒转，使杯口朝上，双手掌心向内夹住闻香杯，靠近鼻孔，闻茶汤留下的余香。

⊙品茗杯

　　茶杯是品茗时的重要茶具。现在常用的品茗杯主要有两种：一种是白瓷杯；另一种是紫砂杯，内壁贴白瓷，也有纯紫砂的饮杯。茶杯以白底为佳，便于观察汤色。

图解中国茶经

138

⊙杯托

杯托是用以承托衬垫茶杯的碟子。杯托的出现是随着饮茶习俗的普及和茶具装饰多样化的结果，杯托是整个茶具的配套器具。茶托一般与所托茶杯在质地上保持一致，体现协调之美。

⊙小茶壶

小茶壶，顾名思义，是与大茶壶比较而言相对较小的品茗器具。小茶壶在泡茶中的创制始于明代，一般做工精细，适合独啜或者作为功夫茶具组中的泡茶壶出现。

用小茶壶泡出的茶，味道格外甘醇芳香。明清时代以江苏宜兴的紫砂壶最为著名，如果出自名家之手，甚至是四方争购，价比黄金。

⊙盖碗

盖碗由盖、碗、托3部分组成，为现代茶艺最常使用的器具，清雅的风格能反映出茶的色彩美和纯洁美。在古代，盖碗的使用有讲究的礼仪，同时也是一种身份的象征。碗盖可以防尘、保温、闻香、拂去茶沫。鲁迅先生在《喝茶》一文中曾这样写道："喝好茶，是要用盖碗的。"

杯托与茶杯、茶盖相互配合，也符合"天、地、人"三才的文化意涵。茶盖在上，谓之"天"，杯托在下，谓之"地"，茶杯居中，是为"人"。茶托托住茶杯，既美观，又可避免端茶烫手或茶汤溢出沾染桌巾，饱含人文关怀。

洁净器

⊙茶船

茶船形状有盘形、碗形，不但托放茶碗，茶壶也放置其中，盛热水时供暖壶烫杯之用，也可用于养壶。当注入壶中的水溢满时，茶船可将水接住，避免弄湿桌面。茶船有竹木、陶、瓷及金属制品。

⊙茶盘

茶盘即用来盛放茶壶、茶杯、茶道组、茶宠乃至茶食等器具的浅底器皿。其形状根据配套茶具，可方可圆或作扇形。形式可以是抽屉式或嵌入式，既可以是单层也可以是夹层，夹层用以盛废水。

茶盘的选材广泛，金、木、竹、陶皆可取。金属茶盘简便耐用；竹制茶盘清雅相宜；陶瓷茶盘精致讲究。放置茶壶、茶杯用的加彩搪瓷茶盘，也曾一度受到不少茶人的欢迎。有了茶盘的摆放，使品茗活动能在一个更为洁净齐整的环境中进行。

⊙水盂

与文房中的水盂稍有不同，文房中的水盂用于盛磨墨用水，而茶艺中作为茶具洁净器皿的水盂主要用来储放茶渣和废水。水盂多用陶瓷制作而成，也有玉、石、紫砂等。

水盂往往造型丰富、制作精细、纹饰细致精美，一度成为文人雅士赏玩的对象，认为具有息心养神、滋益文思的妙处。

↑茶船

↑水盂

←最为常见的木质茶盘

茶宠

很多喜爱品茶的朋友都会在自己的茶盘上摆放一件小小的陶制工艺品，通常为动物造型，如猪、狗、龟、金蟾、貔貅等，也有人物、佛像等造型，这就是茶宠，又名开汤佛。一边喝茶一边用茶扫蘸茶汤轻轻抚刷表面，被茶汤滋养着的茶宠日久就会显出茶色来，有的利用中空的原理，还会吐泡、喷水。紫砂茶宠与紫砂壶一样，时间久了也会升值。想要拥有一只漂亮的茶宠，一定要用心呵护和滋养，注意使用茶水淋漓刷扫，而不是用白水，这样才能使表面温润顺滑，通常普洱茶养茶宠比其他茶的成效会更快一些。有茶宠为伴，为朴素的品茶增添了几分雅趣，得到很多茶人的喜爱。

⊙茶巾

茶巾俗称茶布，主要功用为擦干茶壶，在品茶之前将茶壶或茶海底部残留的水擦干，也可用来擦拭滴落桌面的水滴。茶巾置于茶盘与泡茶者之间的案上，宜采用麻、棉等吸湿性较好的材质。同时，茶巾需手感柔软，花纹要柔和，也可以起到装饰的作用。

⊙容则

容则是摆放茶则、茶匙、茶夹等器具的容器，属于洁净器的一种。容则取"海纳百川，有容则大"的意涵，有包养天地的韵味。容则一般为筒状，以木制、竹制居多，且造型古朴，纹饰精雅，彰显品茗的神韵，与茶匙、茶夹、茶针、茶漏、茶则一起被称为"茶道六君子"。

茶具的发展

几千年来，精美雅致的各种材质的茶具，蕴涵文人之灵气，吸收香茗之精华，由大到小、由繁而简、由瑰丽至清丽，一代代传承于品茶之人的双手，融合进爱茶之人的血脉。它已从单纯的物质工具，繁衍而成一种精神文化的象征，艺术价值大大升华，成为中国源远流长的茶文化的重要组成部分。

茶具有助于我们更深刻地感受茶之韵味，也增加了品茶时的感官享受，让眼、口、心得到温馨舒适的统一。对古今茶具的研究考证，也是从另外的角度了解茶文化的历史背景，从中细品那沉淀了各个时代人文特色的芬芳茗韵。

茶具探源

⊙最初的记载

汉代之前，并没有严格定义、自成体系的茶具，人们用木制或者陶制的缶、碗来煮茶饮茶，与酒具、食具混用，器具朴素简陋，只着重于实用性。

中国历史上，有据可查的最早关于茶具的文字记载，见诸于西汉辞赋家王褒的《僮约》。其中"烹茶尽具"一句，讲的是规定用极其讲究的器具烹茶，来招待家中尊敬的客人。从书中的句子，可以想象到古时的家童尽力将家中的茶具洗刷一新，待客来之时他盛了香茗呈上，主客二人共品清茶的情景。可见那时，人们对茶及茶具已经有足够的重视，已有以茶代酒来招待客人的情形，并上升到了形成文化的阶段，但茶具还未与其他饮具明显区分。

⊙独成一系

汉代的王褒首次为后人展示了客来敬茶的礼节。到了三国两晋南北朝时期，客来敬茶已成普遍的礼仪，随之而来的茶文化初步兴起，成为中华历史上茶文化的酝酿期。伴着茶文化点滴的发展，作为载体的茶具也揭开了以往模糊的面纱，以越来越清晰的面目出现在人们的视线中。从现代出土的历史文物来看，这个时期已经有专门意义上的茶具。

很多著名的文学作品，都提及茶及饮茶器具。如西晋左思的《娇女诗》中"心为茶荈剧，吹嘘对鼎钖"一句，栩栩如生地描绘了两位娇俏可人的小女子，因急着品茶，对着烧水的"鼎"吹气的情形。这里的"鼎"当属较为高级形态的茶具，将烹茶与品茶的行为，赋予了艺术的美感。

这一时期的茶盏的显著特征多为饼足，底部露胎。虽然此时的茶具种类不多，但为唐宋以后茶具的发展打下了基础。

⊙釉陶茶盏

古代茶具的演变，与中国陶瓷业的发展密切相关。随着制陶技术的进步，自西汉以来，釉陶工艺开始得到发展，取代了最早用来做茶具材料的土陶，广泛地应用于茶具的制造。它的表面光亮平滑，色彩鲜艳，艺术性和工艺性较土陶都有质的飞跃，且更加坚实，实用性也有提高，是中国茶具的萌芽形态。

两晋南北朝时期，随着茶具与其他食具的逐步分化，首次出现了带托盘的青釉茶盏，盏与承托以釉相粘连，避免盏热烫指，构思巧妙，纹饰清晰，造型古朴，通体施青釉。以釉陶做茶具，

持续了一个相当长的历史时期。

⊙鸡首汤壶

鸡首汤壶俗称为鸡头流子，流子是对壶嘴的称呼。它是出现在三国末年、两晋时期的一种青瓷造的盛水、注水的容器，形状很是讲究。容积要适中，不能过大或过小，壶嘴为标准的抛物线形，出水口圆小，出水有力，落点准确。最初壶的肩部一侧置鸡首，只是一个装饰的作用，发展到东晋以后，鸡首被做成中空管状，水可以顺其流入壶内。到了南朝，壶形略微加大加高，颈部伸长，器腹丰满。隋朝时壶身更加修长挺拔，颈部细长秀气，鸡首也比以前更为形象生动。隋唐初期，越窑还在生产鸡首汤壶，到了唐中期以后，逐渐为执瓶所替代。

↑南北朝·青瓷双流鸡首壶

唐代陶盛瓷兴

⊙从宫殿到茅屋

在经历了多少年的跌宕起伏后，茶文化随着中国历史走进了辉煌兴盛的大唐时期。"天子须尝阳羡茶，百草不敢先开花"，诗人卢仝这霸气十足的诗句从侧面反映了统治阶级对饮茶的重视，饮茶风尚在繁荣的时代背景下得到飞跃发展，迎来高峰。尤其是开元之后，遍及朝野，上至朝廷将相，下至士农工商，远至关塞边疆，三教九流，各色人等，比屋皆饮。

茶成为国人的日常时尚饮品，饮茶方式也趋于多样化，与之配套的茶具制造业随之得到飞速发展。人们已经意识到，一件实用美观的茶具，可以影响到茶的色、香、味，大幅度地提高饮茶之乐、饮茶之雅，所以对茶

↑茶具的使用虽有诸多讲究，也不必拘泥于形式，可因个人喜好灵活掌握。

具的种类、材质、工艺等，都有了进一步的追求，

茶圣陆羽是茶具分工精细化、做工艺术化的宣传倡导者。他在传世著作《茶经·器》这一章里，介绍了多种烹茶及饮茶的整套器具，按功能分为8大类，从煎煮、点试，到饮用、清洁、收藏一应俱全、匠心独具，均为其亲自设计制作。一经传扬，立时风靡，"远近倾慕，好事者家藏一副"，成为中国茶具文化的一座里程碑。

⊙金银为优

唐代时，烹茶的方式采用煎煮茶汁，煮水的壶与茶壶并未完全分开，以金属制品较多，贵族富家出现了金银铜锡等金属茶具，且以"金银为优"。

唐代《十六汤品》说：用金银为茶具，此茶名为"富贵汤"。

唐代国力强盛，经济繁荣，饮茶的又多为名士贵族，经济实力雄厚，在茶具质地上极尽奢华。1987年，陕西法门寺地宫被考古工作者发掘，一套华丽的唐宫廷鎏金银茶具重见天日，展现了唐朝宫廷茶道文化的独特风貌和辉煌成就。

↑唐·西夏花形金盏托

⊙器型变化

唐朝中后期，饮茶方式逐步改变，从原来的烹煮演变为冲泡，饮器与烹煮之壶开始明确区分，以碗盏为主。普通百姓多以碗为饮茶器皿。盏的器型较碗小，敞口浅腹，斜直壁，玉璧形足，配有浅盘式的盏托，最适于饮茶，早期多为士大夫阶层专用，中后期发展成民间通用的主要饮器。

碗盏造型精巧考究，"愈新其制，以至百状焉"。有盏状如荷瓣，盏托盘面内卷，形似风吹而卷的莲叶。仿荷作盏，用茶怡性，灵秀潇洒，端庄秀美，更添文化品位和艺术价值。

⊙南青北白

陶瓷成为制造茶具的主要材质，因为其色泽温润，能更好地凸显茶色，保持茶香，且不易烫手，所以容易推广，并逐渐成为民间茶具的主导。但究其根本还是因为唐代陶瓷制造业的飞速发展，带动了茶具的改进。由陶瓷制成的饮茶器具包括碗、盏、瓯、杯等。

著名诗人皮日休曾赋诗："邢人与越人，皆能造瓷器，圆似月魂堕，轻如云魄起。"形象地描述了当时瓷器的艺术美感。瓷由陶衍生而来，从陶器向瓷器的质变，标志之一就是在瓷胎上施釉。"邢人"与"越人"，分别指的是河北省的邢窑白瓷和浙江省的越窑青瓷，邢越是当时最具代表性的两大陶瓷制地。陶瓷史上对于这段时期发展格局的描述，有"南青北白"一说，全面地概括了两大色瓷釉割据南北方的现象。

白瓷类银，越瓷似玉；白瓷如雪，越瓷像冰。白瓷盏较厚重，外口没有凸起卷唇；青瓷盏"口唇不卷，底卷而浅"；白瓷一度得"天下无贵贱通用之"，青瓷也有"陶成先得贡吾君"的荣耀。两大瓷釉的代表势力，在茶具的造型、釉色、实用价值上各有千秋，交相辉映，它们之间的竞争极大地促进了陶瓷茶具的发展。

↑定窑刻鱼纹花口碗

⊙碾茶用具

唐宋时喝茶还是用"茶饼"，也称"饼茶"，是将茶的鲜叶蒸熟后，经捣碎做成饼，再用绳子串起烘干，等到喝茶时再将茶饼碾成碎末，也叫末茶，放入锅中煎煮，茶叶充分渗透时再喝。

茶碾就是将饼茶碾成末茶的工具，以木头所制为主。木质茶碾分为"碾盘"和"碾堕"两部分，用质地坚硬细密且无异味的木材制成。最上等的是橘木，梨木、桑木、桐木次之。碾盘外形四方，中间剜空成圆孔，用来放置"堕"。"堕"是一块圆木，中间有轮，碾茶时以手持轴转动碾堕，靠碾堕与碾盘间的挤压来碾碎茶饼。

⊙储茶用具

若是根据《茶经》来推敲中国茶具史，那么在唐朝还未出现专门的储茶用具，陆羽只是提到"既而承热用纸囊贮之，精华之气，无所散越"。因《茶经》所记载以民间茶文化为主流，可见唐代民间对储茶器具还不大讲究，广为应用的是用纸袋储茶的方法。

唐代《因话录》中有"茶贮于陶器，以防暑湿"的记载，说明直到晚唐时期，民间才有了储茶的专用瓷瓶，较为典型的是直口、丰肩、鼓腹、平底之盖罐。而奢靡的皇室此时已经采用密封性更好的金银器储茶。法门寺出土的茶具之中有一件唐金银丝结条笼，通体剔透，工艺精巧，称得上是空前绝后的茶具珍品，为研究中国茶具，尤其是储茶器具的发展提供了重要的历史资料。

⊙法门寺遗珍

陕西法门寺始建于东汉，繁盛于唐代，在唐代升级为皇家寺院。1987年，在对其塔基下的秘密地宫考古挖掘工作过程中，发现了大量珍贵的历史文物。其中一套金银制的茶具摆放于棺室，为唐代宫廷御用，包括储藏、烘烤、研磨、罗筛、烹煮、饮用一系列完整流程共13件用具，金碧辉煌，纷繁绚丽，极为奢华，令当今世界为之震惊。这套茶具是僖宗做太子时（时称"五哥"）用过的茶具，咸通十四年（873）十二月，僖宗皇帝送法门寺供奉佛骨用。

琉璃在晚唐已成为贵族选作饮具的材料。此套茶具为皇家供奉佛祖所用，茶具的设计与纹饰富有浓厚的宗教色彩，用以祈求佛祖庇佑。质地、造型、工艺都为当时之极品，足以证明唐朝皇室对茶文化的重视。

以前人们对于唐朝茶具的了解，多来自于陆羽《茶经》中所记载的民间茶具，而这套高贵完备的皇家茶具，为我们揭示了当时的宫廷茶道之风——豪华且繁缛，与民间茶道崇尚的简朴自然大相径庭。

法门寺地宫出土的金银茶具，是中国目前所知时间最早、组合最完整、等级最高的成套茶具，也是世界上发现时代最早、等级最高的宫廷茶具。

宋代更上层楼

⊙宋代茶具

宋王朝完整地继承了大唐辉煌兴盛的茶道之风，并融入自己独特的婉约旖旎，对待茶具一反唐朝民间质朴的风格，以绮丽为时尚，更看重其做工质地，强调其自身价值。

宋代茶具分类精细，如饮茶用盏，注水用执壶（瓶），炙茶用钤，生火用铫等，主要器具材质多为瓷器，对陶瓷的成色非常讲究，尤其追求茶盏的质地、纹路细腻和厚薄均匀。宋代制瓷工艺技术更加炉火纯青，且独具风格，浑然天成，釉色与式样较前朝都有翻新。

⊙五大名窑

这一时期的名窑层出不穷，首推五大名窑，即汝、官、钧、哥、定，继"南青北白"的局面后，竞相斗艳，难分轩轾。五大名窑各具特色，简单概括如下：

汝窑：五大名窑之首，以青瓷为主，以釉色纯正而名扬天下。

官窑：以青釉著称于世，对釉色之美极为重视，工艺带有雍容典雅的宫廷风格。

钧窑：北方青瓷一派，最大的成就是发明了制瓷史上的"窑变色釉"，釉色青中透红，灿若云霞。

哥窑：瓷器以纹片著名，里外披釉，均匀光洁，晶莹滋润。

定窑：以烧白瓷为主，瓷质细腻，质薄有光，坚密细腻，以丰富多彩的装饰花纹取胜。

五大名窑的兴旺贯穿了宋金元几代，至元朝时，器型、釉色方面更为可观，为明清两代瓷器茶具的发展奠定了坚实的基础。

↑官窑贯耳瓶

↑钧窑尊

↑越窑青釉瓜棱壶

↑定窑白釉双凫水塘纹碗

⊙黑釉拔头筹

除了传统的青釉、白釉外，黑釉在宋代异军突起，最得钟爱，大有后来居上之势，取代青釉、白釉占据主流。究其原因，与当时社会上流行的"斗茶"风尚有极大关系。斗茶人对茶具的成色和外观，与茶汤的搭配程度，都极为讲究。"斗茶"时，茶盏在一定时间内需保持较高的温度，黑釉盏胎体较厚，能更长时间地保持茶温。沸水初注时，茶汤表面会泛起一层白色的泡沫和汤花，与黑色茶盏相映分明，互相衬托，色调和谐。从实用性和观赏性两方面来讲，黑釉茶盏都是斗茶之人最中意的选择，一时间受推崇度无出其右。

↑宋·建窑兔毫盏

↑宋·黑釉褐斑茶盏

黑釉中的佼佼者首推福建建窑兔毫盏，其釉面绀黑如漆、盏底有放射状条纹，纹理畅达，细如兔毫。茶汤注入后银光闪现，盏纹与茶纹交相辉映，水痕荡漾，动感十足，茶色与茶香都已发挥极致。

黑釉在宋朝盛极一时，到了元朝，茶盏釉色由黑色开始向白色过渡，以青白釉居多，黑釉明显减少，渐渐淡出茶具历史。

⊙景德镇青花瓷

除了传统的青釉、白釉，以及瓷中新贵黑釉外，另有一种青花瓷茶盏，悄然兴起。青花瓷瓷质薄而细腻，隐约通透，釉色蓝白相映，明净素雅，色泽深浅层次分明，如碧蓝湖水之涟漪波动，平静中带了动感，怡然成趣。因其是在瓷胎上直接描绘图案纹饰，然后涂上一层透明釉，故外观更加明亮润泽，比单一的青釉或白釉更具美感，让饮茶者更为赏心悦目。

青花瓷茶具以江西景德镇瓷窑为龙头，初始于北宋，兴盛于元朝。元朝中后期，景德镇的生产技术和规模有了进一步提高，青花瓷开始大批量生产，很快便震惊于世。元代将中国传统绘画技法运用于青花瓷的绘制工艺，使成品茶具外观更加精美隽秀，且华而不艳。青花瓷艺至清朝时鼎盛

↑明代茶具的种类和形式基本固定了下来，流传至今。

绽放，至今依旧花开不败，成为景德镇永不凋谢的标志。

⊙汤瓶

汤瓶与茶之关系的相关记载，始见于宋代蔡襄的《茶录》，是一种"点茶注汤"的茶具，早期主要做煎水之用，代替古老沉重的鼎镬煮水器具，亦称执壶、茶吹、茶吊子。到了宋代后期点茶法盛行，汤瓶也从专门的煮水器具简化为点茶时注水专用，所用材料"黄金为上，民间以银、铁或瓷为主"。

汤瓶要求使用起来注水方便，对形状颇为讲究，容积要小、直口、带盖，盖上有柱形钮。颈细而短，溜肩以下瓶身修长，平底。肩一侧安半环形曲把，把上系一套环链子与瓶盖连接。另一侧的瓶嘴细长，且高出瓶口，出水口圆且小，以便点茶注汤时能合理控制水量和准确度，防止余水滴漏。因其注水功能类似后来向茶盏中倾茶的茶壶，可以看做是茶壶最古老的前身。

明代茶具的变革

⊙化繁为简

明朝，饮茶依旧兴盛不衰。明太祖从体恤人民、减轻贡役出发，下诏废除团茶，改叶茶进贡。这在中国茶文化历史上具有划时代的意义，直接引发了饮茶方式的变革。从饮团茶改为叶茶，从前朝烦琐的烹煮之法改为用沸水冲泡，茶具自然也相应经历了从繁至简的调整，品种数量大大减少。唐宋时一系列烘烤、研磨、罗筛的茶具再无用武之地，煮水器具与茶具划分开来，不再属于专门的茶具范畴。除原有用于饮茶的茶盏、茶杯之外，专为品茶而用的茶壶脱颖而出，储茶器具相对前朝也更为重要。

从此，盏与壶成为最基本的茶具，以壶泡茶，以盏盛之，款款而饮，情趣十足。这套茶具组成体系自明朝定型，至今在品种上仍无太大改变。茶具材质方面仍以陶瓷为主，除早已名扬天下的景德镇瓷器外，宜兴紫砂陶器异军突起，成为茶具史上的另一里程碑式的产物。

⊙小壶的兴旺

明朝茶具的一大创新之处便是茶壶的出现，为泡茶所用，再将茶汤倾入盏中而饮。茶壶的使用弥补了盏茶易染尘的不足，更长久地保持了茶温、茶色、茶香。明代冯可宾的《茶笺》上说："茶壶以小为贵，每一客一把，任其自斟自饮方为得趣，何也？壶小则香不涣散，味不耽搁。"由此可见，明代

时茶壶器形贵小，壶小则茶香，壶大则不鲜，尤其是浸泡过久，大壶易使茶味逸散。饮茶时一人一把小壶在手，慢斟细品。

明代茶壶以瓷壶和紫砂壶为主。紫砂壶原产江苏宜兴，形小材佳，质地独特，所沏茶水色香味俱全，"既不夺香，又无熟汤气"，被看做是壶中之上品，将品茶推至完美境界。

⊙弃黑从白

泡茶法兴起后，对茶盏色泽的要求亦随之改变。明人普遍饮用的是与现代炒青绿茶相似的芽茶，茶汤青碧，凝翠溢香，以白色茶盏衬之，颜色愈发鲜明，清新别致，观之悦目，饮之赏心，还能从茶色辨茶之浓淡、优劣。明人屠隆在其《考槃余事》中称："质

↑明·青花缠枝莲文罐

厚难冷，莹白如玉，可试茶色，最为要用。"可见明朝茶具瓷色尚白，宋代盛极一时的黑釉盏此时已被潮流摒弃，白瓷茶盏又重新占据主导。

明代的白瓷有非常高的艺术价值，史称"甜白"，造型美观，料精式雅。宋代为龙头的五大瓷窑在明代继续得到发展，但天下瓷艺却是以景德镇为中心。景德之瓷被誉为"薄如纸，白如玉，声如磬，明如镜"，出神入化，被看做是精美的艺术珍品。

⊙储茶用具的地位升级

由于明代开始普遍饮用散茶、叶茶，因此储茶用具显得重要起来，比唐、宋时更为复杂且讲究。明代储茶主要使用瓷或陶制成的茶罍。其形状多为直口、宽肩、窄腹、圈足，造型雅致大方，美观实用。茶罍的材质主要是景德镇的青花瓷和宜兴陶，也有用竹叶编成的竹篓。

明代茶人发明了将茶叶与竹叶放在一起来储存茶叶，具体方法是：将茶罍烘烤或晾晒，使其充分干燥，在茶罍底部铺上几层竹叶，再把茶叶放在上面，最后在茶叶上部再放数层竹叶，并用宣纸扎住罍口，上方再压一块厚厚的木板，这样可使茶叶吸纳竹叶的清香，同时隔离潮气，有利于茶叶长时间的储存。

⊙返璞归真新境界

明代因茶叶品种及饮茶方式的改变，茶具品种精简，材质也从唐宋时的崇金贵银改为尚陶瓷，整体上呈现出一种返璞归真的趋势。但明人对茶艺的追求却更加精益求精，体现在茶具上的文化艺术气息也日益浓厚。茶具进化的脚步丝毫未有停滞，反而更向着极致审美的方向发展，在做工、式样、规格、功用上日新月异，其精巧绮丽、匠心独运，皆为唐宋所不及。文人们将书法、绘画作品用来点缀茶具，使得小小的茶具更加明确地体现出了当时的艺术追求及思想风尚。

明代茶具的发展，扭转了唐宋时期的烦琐拖沓、华而不实、与茶道文化实质相脱节的风气，使茶具文化的发展更加符合品茶这一行为的清净端庄，将茶具与茶饮进一步贴合。自此，茶具的发展步入正轨，并逐渐达到巅峰。

清代异彩纷呈新发展

⊙陶瓷争艳

时至清朝，虽然茶的品种增多，但是饮茶之习与明代基本相同，所以茶具体系亦无显著变化，但茶具的制作工艺却有着长足发展，色彩纷呈，争奇斗艳，在康雍乾时代进入了空前繁荣的时期。茶具主材延续了陶瓷的主流地位,且工艺水平更上一层楼。"景瓷宜陶"之说，充分表明了景德镇瓷具与宜兴紫砂陶具牢不可破的风靡之势，并随着清朝茶叶贸易的发展壮大，大规模出口海外，扬名世界。景德镇瓷器在釉色上取众之长，尽人工之巧，花样繁多，不断翻新，除生产五彩瓷以外，还创烧了珐琅、彩粉两种新的釉上彩。以本色特性著称的宜兴紫砂陶具，在造壶艺术上承前启后，造诣极高，当时有"世间茶具称为首"的美誉。

⊙新材料的应用

清代茶具一个新的重要特色便是在质料上呈现出百花齐放的多样性。除传统的景瓷宜陶之外，福州脱胎漆器茶具、锡制茶具，玉、水晶、玛瑙茶具，四川竹编茶具，海南植物（如椰子等）茶具相继出现，造型奇特，各成一派，十分引人注目。

漆器茶具主要产于福建福州，故

↑珐琅提梁壶

又名"双福"茶具。福建生产的漆器茶具多姿多彩，有"宝砂闪光"、"金丝玛瑙"、"釉变金丝"、"仿古瓷"、"赤金砂"等名贵品种，鲜丽夺目，引人注目。它具有轻巧美观，色泽光亮，能耐温、耐酸的特点。

锡制茶壶也是当时广受欢迎的茶具，其优点在于不易磕裂或碰碎，易于保管。玉、水晶、玛瑙茶具主要为富贵人家所有，材质柔和，莹润雅洁，工艺精美，雍容华贵，更能衬托使用者高贵显赫的身份地位，在实用性方面并无先进特性。

⊙茶具新秀

康熙年间盖碗茶具的兴起是清代茶具的又一大革新。从朝廷王公到大家贵族，再到民间茶馆，都开始使用这种新奇独特的茶具，延续至今，未有间断。

盖碗又称盖盏、焗盅，下有托，中有碗，上置盖，三位一体组合而成。盖利于保洁和保温，且能凝聚氤氲，茶香久不涣散；碗为敞口，利于注水，内壁渐敛，利于茶叶沉积，且易泡出茶汁；托可以防止茶水溢出，又利于隔热，避免端之烫手。

品茶时，一手托碗，一手持盖，先以盖慢慢拨开漂浮于水面的茶叶，再细品香茗，展示了端庄沉稳、从容不迫之茶风。盖碗不但用来作为饮具，还可代替茶壶泡茶。清代盖碗花样众多，花色纷繁，托有圆形、荷叶形、元宝形等。盖碗外壁常绘制出自名人手笔的山水花鸟，碗内绘避火图。图案细腻，做工考究，代表了清代茶具的大家风范。

⊙形、色与装饰的新发展

随着制造工艺的提升和审美情趣的变化，清代茶具无论是在纹饰、釉色，还是造型方面，较之以前都有极大的发展。

清代茶壶口加大，腹丰或圆，短颈、浅圈足，体形较前代缩小，流短直，设于腹部，把柄为圆形，附于肩与腹之间，给人以稳重之感。

茶具式样各有千秋，绘彩配图方面更是五花八门，包罗万象。名山大川、游龙戏凤、彩蝶恋花、才子仕女，林林总总均可入画，"图必有意，意必吉祥"。青花与粉彩是彩色釉中的典型代表，广州织金彩瓷也在此阶段应运而生。彩瓷的早期产品珐琅彩，是在各种白胎瓷器的釉上绘上金色花纹图案，仿佛锦缎上绣以色彩绚丽的万缕金丝，雍容华贵，备受中外贵族喜爱。后期，彩瓷工艺进一步发展，吸收西洋画法，绘上具有岭南地方特色的图案，如花鸟鱼虫等，逐渐形成独特的岭南艺术风格。

清代茶具形色上的变迁，映射出清代以来人们对文化、生活艺术的追求，体现了清朝茶文化的多元化发展。

↓选一把古朴的茶壶，点上一盏烛灯，效仿着古人以茶寄幽思。

近现代求新求变费心思

⊙ 百花齐放，因茶择器

茶具发展到了近现代，种类大量增多，取材日益广泛，样式不断翻新，呈现出百花齐放的局面。

讲究的茶人根据场合的不同、地点的不同、人数的多少和茶叶种类不同，而选择分别相适宜的茶具。如饮绿茶，需用清透光亮的玻璃茶具，在饮茶的同时还可以更好地欣赏茶叶上下悬浮的美好姿态；饮红茶，选用洁白的骨瓷，更便于鉴赏比较茶汤的色泽明亮；饮乌龙茶，用功夫茶具，在品茶的同时，还可以把玩细致精美的茶具；至于很多人喜爱的花茶，宜用盖碗冲泡品饮，开敞的碗口有利于花香的淋漓挥发，也便于观赏花与茶在杯中共舞的美妙情景。

⊙ 因地制宜

中国疆域辽阔，从南到北，地方不同，饮茶的习俗不同，使用的茶具也

↑壶身的铭文是最为常见的装饰手法之一。

各有不同。最南方的广东、福建一带因盛产乌龙茶，几乎家家户户都有一套精美的紫砂功夫茶具，即"烹茶四宝"，包括潮汕炉、玉书碨、孟臣罐、若琛瓯。一日不可无茶的四川人则格外钟情于盖碗，一手端茶托，一手持碗盖，加上盖，可保茶香，拿掉盖，可观茶色，颇具清代遗风。江浙一带种茶、产茶、饮茶均以绿茶为主，人们爱好饮用名优绿茶，不仅闻香、品味，更要观色、赏行，故此偏爱玻璃杯泡茶。长江以北豪爽的北方人，虽然也爱花茶的清香、乌龙的馥郁、绿茶的淡雅，但是茶具却换作容量较大的带盖瓷杯或紫砂茶壶。至于边疆地区的少数民族，民风淳朴，性格豪放，至今仍习惯使用大碗饮茶，古风犹存。

⊙ 紫砂热潮

紫砂茶具自诞生以来，便引领了茶具改革的热潮，奠定了流传至今不变的茶饮文化程式。目前中国的紫砂茶具，质量仍以产于江苏宜兴的为最。

经过历代紫砂工匠的不断创新，现代紫砂茶具既继承了传统紫砂文化的精髓，古朴淡雅；又融入了当今社会的时代特征，新奇瑰丽。一大批造型新颖、风格独特、富含当代文化品味的优秀作品相继涌现，在造型上"方非一式，圆非一相"，绚烂多姿；在形体与线条的运用上变化无穷；在装饰设计上丰富多彩；在功能上保持了泡茶不走味，储茶

不变色，盛暑不易馊的优势，作为茶具使用品、收藏品，深受当代品茶人的喜爱，引发了当今新一轮紫砂热潮。

中国的紫砂茶具艺术品远销海内外，成为中国主流艺术品之一，是向世界推广中国文化的重要道具。

⊙功夫茶具

由于功夫茶在中国福建、广东潮州、汕头等地的长期盛行，随之衍生出的功夫茶具系列也日益成熟完善起来。

通常所说的潮汕功夫茶具，共由精巧复杂的10件茶具组成，包括：第一件：茶壶，潮人叫做"冲罐"，壶宜小不宜大，宜浅不宜深；第二件：茶杯，要求"小、浅、薄、白"；第三件：茶洗，必备3个，分别用来浸茶杯、浸冲罐、盛放废水和茶渣；第四件：茶盘，讲究"宽、平、浅、白"；第五件：茶垫，用来放置冲罐，并用丝瓜络做成垫毡置于其上，起保护冲罐的作用；第六件：水瓶或水钵，用来储水以备烹茶；第七件：龙缸，用来储存大量的泉水，通常以木几托底，形质多古色古香；第八件：红泥小火炉，以炭为燃料，深而小的炉心可以使火势均匀；第九件：砂铫，俗称"茶锅"，用来煮水，多用砂泥做成，轻巧方便，水开时锅盖会自动掀开，发出声响；第十件：是用来煽火的羽扇、钳炭和挑火用的钢筷，讲究的羽扇用洁白鹅翎制成，钢筷可以使双手保持清洁。这十件茶具无论少了哪一样，都不足以成为真正的功夫茶具，所谓"功夫茶"的"功夫"也正体现在此。

⊙新式茶具

近现代大量新式茶具的涌现，为茶具的发展史补充了丰富的内容。所谓新式茶具，包括制作茶具的新材料的应用和茶具款式的新变化两个方面。

首先，制作茶具的新式材料在以往已经有所尝试的基础上，形成了完整的体系和更加成熟的产品。如竹制茶具发展到了近现代细分为竹刻茶具和竹编茶具：竹刻茶具利用壁较厚的天然竹节，用刀雕刻而成，并在外壁刻下各种浮雕造型，生动传神；竹编茶具利用竹子坚韧而有弹性的特点，把竹子劈成丝或片，然后用篾丝紧扣瓷胎茶具，在其上经纬交错进行编织而成，图案多样，美观实用。此外还有搪瓷茶具、石刻茶具等。

新式茶具的款式打破了以往传统的形、色、装饰，融合了西式、日式、韩式茶具的特点，呈现出一派新气象。

茶具的种类

自古就有"器为茶之父"之说，茶具的材质对茶汤的香气和味道有重要的影响，因此茶具多以材质的不同来进行分类。如今，最常使用和出现最多的茶具主要有紫砂茶具、瓷器茶具、漆器茶具、金属茶具、玻璃茶具和竹木茶具6大类。其中，精致典雅、精品荟萃的紫砂茶具和晶莹细腻、端庄淡雅的瓷器茶具在众多种类的茶具中占最大的比重，得到饮茶人最广泛的青睐，即被誉为茶具上品的"景瓷宜陶"。

气韵独特的紫砂茶具

⊙紫砂陶土

传说，古时候有一个异僧，经过宜兴鼎蜀山的村落时，他不停地大声叫卖："卖富贵土，卖富贵土喽！"村民们觉得十分稀奇，朝异僧望去。见大家没有动静，异僧放开喉咙大声说道："贵不欲买，买富如何？"随后，几个村民便跟着他往出产"富贵土"的青龙山、黄龙山走去，到了那里，大家果然看见五彩缤纷的陶土，有红的、黄的、绿的、青的、紫的、灰的……至此，紫砂陶土便呈现于世人面前。

全世界有很多产陶土的地方，但是没有紫砂。紫砂是陶土的一个种类，是中国宜兴特产的陶土。紫砂泥是朱泥、紫泥和团山的总称，这三种泥土分别呈现出朱、紫、米黄三种颜色，经过烧制变化出丰富的色彩。

紫砂名称的由来

由于紫砂泥分布的矿区、矿层各不相同，经过不同温度的烧制，紫砂成品可呈现出栗色、紫铜、海棠红、沉香、冷金黄、葵黄、墨绿、铜绿、青灰、铁青、天青、棕黑、漆黑等数十种色彩。

然而，无论是由哪种本色的紫砂陶土制成的紫砂器，在其表面都会若隐若现地散发出若有似无的紫光；同时，无论土质分拣得多细，在紫砂器的外表都会呈现出漂亮、立体的粒子感，于是"紫砂"名称便由此得来。

⊙与生俱来的特质

经过科学分析，紫砂为多孔性材质，气孔微细、气密度高，这种特殊的结构使它具有良好的透气性和吐纳的特性。当紫砂器遇热时，气孔张开，将胎土内储藏之物吐出来，器具之内储存是茶，便吐茶香；若储存是油，就会吐油；久置不用，吸收了空气中的尘垢，就会吐尘垢。所以紫砂壶用来泡茶效果最好，且因为它的储换功能，泡茶的效果还会越来越好，久用后，以沸水注入空壶也会有茶香溢出。

除此之外，紫砂对于冷热急变的适应性极强，寒冬腊月，置于温火烧茶或注入沸水，紫砂器也不会因温度急变而胀裂。

⊙ 形

由于含砂低，紫砂的可塑性很强，"方非一式，圆不一相"。历代紫砂艺人潜心研究各种物态，汲取了中国传统工艺品的艺术特点，创作出的紫砂器造型千姿百态、不拘一格。

紫砂器的形状主要有 3 类：几何形体、自然形体和筋纹形体。

几何形体分为圆器和方器两种：圆器造型由各种不同方向、曲度的曲线组成，讲究珠圆玉润、骨肉亭匀、比例协调；方器造型主要由长短不同的直线组成，具有"方中寓圆，方中求变，口盖划一，刚柔相称"的特点，壶盖方向可任意变换，并与壶口吻合严密。

自然形体又称"花货"，是指将各种自然形象和物象的形态用艺术手法，设计成器皿造型。

筋纹形体主要是仿照植物瓜果、花瓣的筋囊和纹理，加工组成。

此外，还有取材古代文物造型的博古造型，壶体与提梁虚实对比的提梁壶等。

⊙ 色

紫砂的色泽属暖色系，内外均不上釉，显得古朴沉稳，清明淡雅。在 1000℃ ~1250℃ 的窑火里，制作者匠心独运，可烧炼出数十种缤纷的色彩，大致可分成紫、褐、红、黑、黄、绿等色系，色泽多样，变化微妙。

紫砂器的颜色烧成之后不会退色，经过泡茶滋润后更可呈现出温润光泽与自然平和的质感，与其他陶土混浊不清的色泽有着天壤之别。

⊙装饰

明清时代，紫砂茶具的制作达到前所未有的顶峰。越来越多的书画名家、文人墨客参与紫砂壶的设计制作，他们将文学、书法、绘画、篆刻诸艺术融为一体，装饰于壶盖、壶柄和壶身，使紫砂茶具不但成为茶饮的载体，更成为富于内蕴的艺术品。

紫砂茶具的装饰方法有烧制之前的陶刻、堆绘、纹样装饰等手法；烧成后的装饰则有釉彩、抛光和金银丝镶嵌等装饰手法。

由于紫砂陶坯具有良好的可塑性，故易于在其上雕刻，无论草、隶、篆、魏碑、钟鼎铭文等各种书体，花鸟、山水、人物等国画白描，或图文并茂，或情趣皆备。闲暇之余，品茗赏壶，余甘盘旋于口舌之际，体会铭文刻画的意境，当无所他求。

⊙使用功能

作为饮茶的载体，既美观又实用方能成为一把好壶。关于紫砂壶的实用性主要考量以下几点：

第一：茶具的容量要适当。茶壶的容量大小各不相同，小的仅一杯容量，大的可供几十人使用，要视饮茶人的多少、饮茶习惯、茶的种类而定。

第二：壶把的执握方便、舒适与重心稳定。判断壶把与壶身的设计是否精准，可在壶内注入3/4的水，水平

↑ 自然形体的紫砂壶

↑ 圆形造器

提起茶壶，缓缓倾倒，如果无须用力紧握，感觉平稳顺手，即是好壶。

第三：壶嘴出水是否顺畅。出水首先应刚直有力，水流长而圆，倾倒壶水，能使壶中滴水不剩者为佳。

第四：壶盖与壶身的吻合是否紧密。将茶壶注满水，用手指紧压壶嘴，颠倒壶身，若壶盖不会掉落，则密合度足矣，密合度越高，越能完好地凝聚茶香。

⊙制作工艺

一把紫砂壶的制作工艺精湛与否，可从以下几个方面来衡量：第一，壶的流、盖、把、钮、肩、腹、足等与壶身整体比例相协调；第二，壶型点、线、面的过渡转折应清楚流畅；第三，

壶的原材料——紫砂泥应呈现出"色不艳、质不腻"的特性；第四，壶的形状样式除去个人喜爱，以"古拙素雅"与茶文化的意境最相合，为收藏之上选；第五，壶身上诗、书、画、印的装饰艺术具有别致的神韵格调，能给人带来美的享受。

⊙ 艺术之美

满足紫砂壶的艺术之美则要将形、神、气、态四者之美融为一体，集于一身。形，指作品的外部轮廓美；神，即作品所具备的神韵；气，即陶艺所蕴涵的和谐色泽美；态，即作品的高低、肥瘦、刚柔、方圆等各种姿态。一件上佳的紫砂作品能够抒发艺术的语言，表现出生动的气韵和强烈的艺术感染力。

⊙ 紫砂壶的挑选

作为一件完美的紫砂壶作品，既要具有其实用性，又要兼备艺术价值。如果购买紫砂壶是出于自用，那么选购者可以依据个人的饮茶习惯更多地考量其实用性；若是为了收藏，则要

更多地注重其工艺水平和艺术之美。

紫砂壶多是手工作品，一件壶器要经过数十道工序才能制成。从百十元到数十万元，市场上紫砂壶的价值不一。界定紫砂壶的优劣，只要看其是否使用舒适，整体协调。无论它是大是小，是曲是直，是否出于名家之手，只要能带来心灵的共鸣，愉悦身心，陶冶性情，就是一把值得珍爱的好壶。

⊙ 紫砂壶的收藏

紫砂壶自明代出现以来就与茶文化紧密地结合在一起，除了其自身具有的实用价值和艺术价值之外，还有着丰富的文化内涵，是具有中华民族文化的外质内蕴的国粹。

一把好壶不仅仅是一件艺术品，也是一段历史的诉说，一种文明的象征，出自名家之手的优秀作品如今更是身价百倍。名壶的收藏热潮席卷东南亚和欧美国家，经久不衰，紫砂壶"一两紫砂一两金"的身价不断被古董收藏家以新的纪录洗刷。也有越来越多的普通收藏者，"淘"出工艺精湛、独具特色的新紫砂壶收藏起来，在享受着收藏乐趣的同时，静待着其价值的提升。

温润细腻的瓷器茶具

⊙中华瑰宝

中国是陶瓷艺术的发源地，有着几千年的陶瓷发展史，早在宋代，就已达到瓷器制造业的极度繁荣。瓷器作为中国古代最著名的发明之一，是中华民族独有的珍贵文化遗产，对世界文明的发展做出了巨大贡献。

唐代以来，陶瓷工艺被广泛地应用于茶具生产，作为历代茶具的上选材料，造出了许多传世的艺术精品。南越北邢、五大名窑、景德镇……一代代瓷器名家争奇斗艳，长盛不衰；青瓷、白瓷、黑瓷、彩瓷……各类制品色彩缤纷，形态各异。

陶瓷制品独有的淡泊清雅，提升了品茶情趣，深受好茶之人的喜爱。千百年来，经过不同时代，不同茶叶类型，不同饮茶习俗、方式，不同文化背景的考验，陶瓷始终贯穿于中国茶具文化的历史长河，至今仍保持着旺盛的生命力，成为现代最普遍流行的茶具类型之一。

⊙白瓷

白瓷于北朝时期已见雏形，但那时的釉色并不纯净，白中泛灰。到了唐朝，河北邢窑烧制出的白瓷，则是自有白釉瓷器以来的最完美产物，土质细润，坯质致密透明，色泽纯洁，欺霜赛雪，成品茶具轻巧精美，壁坚而薄，器型稳厚、线条流畅，敲之音清韵长，传热、保温性能皆强。因色泽纯白光洁，能更鲜明地映衬出各种类型茶汤之颜色，适用范围较青瓷更广。杜甫曾有诗称赞白瓷茶碗："大邑烧瓷轻且坚，扣如哀玉锦城传。"

元代以后，江西景德镇的白瓷茶具更上一层楼，造型精美，装饰典雅，其外壁多绘有名人书画加以点缀，艺术气息更为浓厚，欣赏价值极高，堪称饮茶器皿之珍品，远销国外。至今白瓷依旧作为使用最为普遍的茶具，久盛不衰。

白瓷的出现除了打破青瓷的垄断地位外，另一深远意义则在于为后代茶具盛行的青花瓷、釉里红瓷、五彩瓷和粉彩瓷等彩瓷器打下了深厚的工艺基础，为陶瓷茶具的发展注入了新的活力。

⊙青瓷

青瓷为玻璃质的透明淡绿色青釉，瓷色纯净，青翠欲滴，既明澈如冰，又温润如玉，制造出来的茶具质感轻薄，圆滑柔和，得到陆羽在《茶经》中的大力推崇。自商代出现原始瓷以来，青釉一直占据瓷釉的主流，至唐代，浙江越窑烧制的青瓷器，已经称得上炉火纯青。古诗中"掾翠融青瑞色新"就是对越瓷色泽的赞美。宋代五大名窑，有4座都以产青瓷著称，其中龙泉哥窑生产的青瓷茶具，更是远销各地，至明代开始出口海外。明代的青瓷茶具更以其质地细腻、造型端庄、釉色青莹、纹样雅丽而蜚声中外，被视为稀世珍品。

青瓷茶具除具有瓷器茶具的众多优点外，因釉色青中透绿，冲泡绿茶时最能衬托出茶汤碧色之美。不过，若用它来冲泡红茶、白茶、黄茶、黑茶，则易使茶汤本色不够分明，略为美中不足。

⊙黑瓷

黑瓷茶具开始于晚唐，在宋朝达到鼎盛，延续于元，明、清时衰微。宋代斗茶之风盛行，为黑瓷茶具的流行创造了非常便利的条件。白色茶沫与黑色茶盏色调分明，便于观察，且黑瓷胎体较厚，能够长时间保持茶温，最适宜于斗茶所用，这两点主要原因使得黑瓷茶具成为宋代瓷器茶具的最主要品种。

宋代有很多大量生产黑瓷茶具的瓷窑，其中以福建建窑生产的建盏最为著名。建盏配方独特，茶盏表面的细纹已经精致到"纹路兔毫"的地步，茶汤一旦入盏，能放射出五彩纷呈的点点光辉，增加了斗茶的情趣。蔡襄在《茶录》中曾说："建安所造者……最为要用。出他处者，或薄或色紫，皆不及也。"建安兔毫盏代表了黑瓷茶具的最高峰。到了明朝，因饮茶方式、茶叶类型的改变，黑瓷茶具不再适用，逐步退出茶具市场的历史舞台。

↑越窑青瓷莲花盏托

⊙彩瓷

彩瓷是指带彩绘装饰的瓷器，比单色釉瓷更具美感，可细分为釉下彩、釉上彩、釉中彩以及釉上、釉下相结合的斗彩，于明清年间兴起。景德镇最负盛名的青花瓷茶具是典型的釉下彩瓷代表，其胎质坚薄，釉面光润明亮，釉色晶莹，蓝白花纹相映，淡雅清幽，造型多样。清代出现的釉上彩充分吸收了中国绘画的表现方式，瓷面上的绘画图案更富层次，出现凹凸浓淡的变化，立体感强，光泽透亮，粉润柔和。

↑彩瓷

斗彩茶具多为青花与釉上五彩相结合，画面细腻生动，色彩柔和明丽，胎釉、纹饰都十分精致。织金彩瓷是自珐琅彩发展而来，在白色釉面上绘上金色花纹，熠熠生辉，高贵艳丽。

彩瓷在现代的应用仍十分广泛。对于茶具而言，釉下彩瓷器在健康环保方面胜于釉上彩，因彩绘图案是在釉的下层，受釉层保护，不会脱落退色，彩绘中含的有色颜料也就不会对人体产生不利影响。

⊙骨瓷

骨瓷属软质瓷，是以骨粉加上石英混合而成，是当今世界上公认的最高档的瓷种。其制作过程极为复杂，工艺特殊，标准严格。骨瓷起源于英国，现在中国也已经掌握了骨瓷的制作工艺并能生产出在工艺、花面设计、器型风格上独具中华特色的骨瓷茶具。

骨瓷茶具比起普通陶瓷质地更为轻巧，器壁虽薄，却致密坚硬，不易破损，釉面光滑，瓷质细腻。色泽呈天然骨粉独有的自然乳白色，晶莹剔透，视之如凝脂，触之如软玉，弹之如钟磬。骨瓷茶具的透光性和保温性都很好，规整度、洁白度、透明度、热稳定性等指标均要求极高。瓷的花面与釉面融为一体，不易磨损脱落，是有益于健康和环保的绿色瓷器。

骨瓷茶具将使用和艺术的双重价值集于一身，以自身独有的雍容典雅，成为收藏名家、豪华宴会都视之如珍的首选，无愧为当世"瓷中之王"。

⊙听声辨色

辨别陶瓷茶具的质量，主要在于闻其声与观其色。用食指在瓷器茶具上轻轻弹扣，应该能听到悦耳的叮当声，声色清脆，回音宛转，如珠落玉盘，这表明瓷器胎质细腻，烧制良好；反之，如声音喑哑沉闷，则说明有瓷釉破损或瓷坯质劣。

做工精良的瓷器表面光滑细密，色泽纯净，柔润如玉，在阳光下质感通透，瓷釉光洁，平滑如镜，釉面无斑点、小孔、气泡等瑕疵，釉色准确均匀，图案清晰美观，纹饰完整统一。若是挑选整套的茶具，则还要注意不同器具间形状的协调，色彩、图案的搭配。

⊙景瓷

景德镇陶瓷作为茶具上品，应用最广。景瓷兴盛于宋，北宋时期，景瓷即以青出于蓝、灵巧秀丽的青白釉茶具天下闻名；到了元明清时期，景德瓷艺发展迅速，广征博采，大胆创新，被称为"至精至美之瓷，莫不出于景德镇"。

景瓷瓷质优良，造型精美，色彩丰富，装饰多样。在装饰方面有青花、釉里红、古彩、粉彩、斗彩、新彩、釉下五彩、青花玲珑等，其中尤以青花、粉彩产品为大宗，有色釉为名产，标志着打破以前单一色调，开辟了彩瓷新时代。釉色品种很多，有青、蓝、红、黄、黑等类，每一大色系釉彩还分出更细致的小类。

⊙景瓷的制作

景德镇手工制瓷工艺，凝聚了瓷器手工艺人的智慧和心血，具有较强的专业性和高度的技巧，分工细致，工序完整，只有这样才能使得景德镇瓷器成为当之无愧的国宝，流传千古，名扬海外。其制作工序系统繁杂，因成品的种类不同各有区别，其最核心的工序共有五步：

制坯：也叫"拉坯"，是使器物成型的工序。将制备好的瓷泥放在坯车上，用模具等制成具有一定形状和尺寸的坯件。

修坯：也叫"利坯"。将制好的坯胎晾至半干后置于车盘，用刀旋削其表面，将粗厚不平、规格不齐的粗坯经过两次旋削，使之厚度适当、表里一致，以保证瓷器外表的光洁。

施釉：俗称"刹合坯"。它是在器坯内外上一层玻璃质釉、使之光润。依其方法有蘸、浇、吹、荡、涂等，根据瓷器的几何外形不同，采用不同的上釉方式。如圆口瓷器将瓷胎浸泡在釉浆中；形状不规则的瓷器，采用吹釉的方式上釉等。无论采用何种方式，都要保证釉浆均匀分散。

画坯：用颜料在坯胎上绘画或写字。通常分为两种情况，釉上彩：是将未上色的瓷胎上釉后放入窑内烧结为素瓷，待冷却后再进行上色，之后

放入相对低温（700℃~900℃）的窑炉中进行二次烧结，这样能够保证釉彩的花纹和颜色丰富多彩，但长期暴晒或使用磨损容易导致颜色脱落。釉下彩：将颜料直接涂在未上釉的瓷胎上，再进行上釉、烧窑。家用瓷器和元代青花瓷器均属此类。颜料被包裹在釉之下，使得色彩能够长期保存，经过约24小时的高温灼烧，会导致部分瓷器颜色变化，因而釉下彩的瓷器颜色变化较多。

烧窑：是成瓷的最后一道关键工序。将装有成坯的匣钵放在窑床上，用松柴或槎柴烧至1200℃~1300℃，采取先氧化焰，后还原焰的方法，共分溜火、紧火、净火3个阶段，用一天一夜(24小时)的时间，将匣钵内的坯胎烧成瓷胎。

⊙识别仿古瓷

一件瓷器在手，人们最常想到的就是，它是哪个朝代什么时期的瓷器？对古代瓷器的收藏热促使一些商家将现代瓷器作古来牟利。鉴别古瓷非常复杂，除了了解瓷器相关的知识和历史，还可参考以下几种常用的简便方法：

第一，瓷器整体的造型风格，或粗矮，或瘦高，或饱满，或修长，历朝历代都有各自的特征和共性可循。通过观察器物的口、腹、足、柄等处是否符合时代特征，可加以辨识。

第二，从制作工艺上看，不同朝代，不同出处的瓷器在取料、成型、烧制时的方法技艺各有不同。

第三，从底足或上口边露胎的缩釉处，看胎质特色。不同时期、不同地区所用的胎釉各具特色。

第四，纹饰具有很强的时代特征，仿制者通常难以仿制出自然流畅、浑然天成的笔触，色彩是艳丽还是素雅，在各朝也不尽相同。

淳朴典雅的漆器茶具

⊙主要产地

漆器的历史悠久。据史料记载，早在夏禹时代已见使用。在汉代，漆器被作为日用器具已日渐普遍，后经历朝蓬勃发展，漆器制成茶具，有据可考的始见于清代。现代漆器工艺广泛分布于山西平遥、甘肃天水、陕西凤翔以及北京、江苏、上海、重庆、福建等地。其中，以风格富丽华贵的北京雕漆、以镶嵌螺钿为特色的扬州漆器和色泽光亮、轻巧美观的福建脱胎漆器最富特色，制成的漆器茶具受到人们的欢迎。

⊙独具特色

漆器茶具是用漆涂在各种茶具的表面所制成的饮茶器具。漆料可以涂在各种材质的表面，常见的有陶器、瓷器、铜器、竹木器具等。漆器完好地保留了原有材质保温性能好、造型多样、使用轻巧方便等作为茶具的优秀特质。

生漆是从漆树割取的天然液汁，主要由漆酚、漆酶、树胶质及水分构成。在生漆中加入颜料作为涂料，具有防水防潮、耐高温、耐腐蚀等优点，并因采用不同的工艺，配制出不同的颜色，而光彩照人，美观实用。

⊙绚丽的工艺

自从漆器出现，历经三国的兴起，两晋的鼎盛，唐宋的发展和明清的全盛，漆器的制作工艺不断丰富和进步。艺人们将化学工艺与手工技艺结合起来，创造出无数制作和装饰漆器的工艺技法，种类繁复，水平高超，影响深远。这里仅枚举几种最常使用的工艺，供读者参考。

戗金：即器物上涂以漆，待干固后，以针或锥刺刻图样，用金粉填于纹路中，称为戗金。填入银粉的，称为戗银。该法发展于宋，盛行于元，明时极富成就，流传名器很多。

螺钿：用裁切成大小不同形态的螺片镶嵌成花纹装饰在漆器上，有厚（硬）螺钿与薄（软）螺钿之分。薄螺

↑西汉·彩绘漆案及托盘

钿可制成人物、鸟兽、花草等形象，有的还直接将螺片捣成细沙，洒贴于漆面上，形成闪光彩点。以唐代使用最为广泛。

雕漆：是在木胎或铜胎上用漆堆上，少则数十层，多达数百层，待半干时，描上画稿，施加雕刻的一种技法。色彩以朱红为主，故又名"剔红"。雕漆始于唐代，历史上以元代嘉兴西塘的最为著名。

⊙脱胎漆茶具

福州的漆器工艺始于南宋。传说清乾隆年间（1736~1795），漆匠沈绍安从一块木头已经朽烂，漆灰麻布裱褙的底胚却完好无损的匾额得到启发，经过不断试验，创制出最早的脱胎漆器。

脱胎漆茶具的制作工艺十分讲究，精细复杂。首先按照茶具的设计要求，以泥土、石膏或木模做成产品的坯胎，然后用夏布（麻布）或绸布和生漆在坯胎上逐层裱褙上去，连上几道漆灰料，待阴干后，敲碎或脱去模型，留下漆布器形，而后经上灰、上漆、打磨、装饰等多道工序，才最终制成古朴典雅的脱胎漆茶具。一件光彩亮丽的脱胎漆器要经过数十道甚至上百道工序才能完成。

脱胎漆茶具通常由1把茶壶、4只茶杯和1只茶盘组成。壶、杯、盘通常呈一种颜色，并融书画装饰于一体，富于文化内涵，除了具有实用功能外，还有很高的艺术欣赏价值。

⊙漆器茶具的种类

漆器茶具的种类有如下几种划分方式：

根据使用功能划分，有漆器茶壶、漆器茶杯、漆器茶碗、漆器茶盘等。

根据漆器茶具的产地划分，比较著名的有：北京漆器、福州脱胎漆器、扬州镶嵌漆器、天水漆器以及成都漆器等。

根据漆器茶具的制作工艺和技法划分，有光素无纹、以单一色彩修饰的一色漆器，多为黑色，以造型见长；用漆色或油色绘出花纹的描漆茶具；用金粉绘出花纹，多在红、黑漆地上运用的描金茶具；此外还有堆漆茶具、雕漆茶具、平漆茶具、螺钿茶具等，种类繁多，不胜枚举。

华贵的金玉茶具

⊙尊贵的金银茶具

在唐代，金银已经被用于茶具的制造。陕西法门寺出土的宫廷御用金银茶具，工艺精巧绝伦，形美质佳，极尽皇家奢华，代表了当时金属茶具工艺的最高水平。如果说唐代金银茶具还只是多为上流社会权贵富人显示身份地位所用，那么到了宋代，金银制造工艺又有进步，加上民风奢靡，斗茶之风盛行，金银茶具更被视为上品，即使在民间茶肆也有使用。蔡襄的《茶录》中曾有记载，当时流行的斗茶用具均以黄金为上，次一些则以银铁或瓷石为之，充分说明了金银茶具在当时的受重视程度。

金银茶具绚烂夺目，在工艺上穷极精巧，自身造价极高，无论何时都是奢侈的高档消费品。

⊙玉石茶具

自从陶瓷茶具出现，玉石茶具就逐渐淘汰并被取代。究其原因，除了陶瓷本身具有适宜泡茶的特点之外，陶瓷工艺的迅速发展也是一个方面。当然最重要的还是玉石本身，因材料稀少而价格昂贵，且雕琢困难，用玉石制成的茶具成为普通人可望而不可即的奢侈品。也正因如此，自唐宋以来，使用玉石茶具饮茶，仅仅成为贵族富人炫耀财富与地位的方式之一而已。

然而玉石茶具并没有在茶文化的历史中销声匿迹，只是扮演着极为次要的角色而始终存在着。时至今日，仍有一些现代人对玉石茶具格外青睐。材料上乘、工艺精湛的玉石茶具，外观精美，雕琢精细，平滑圆润，光泽流转，是价值不菲的工艺品，甚是值得赏玩与收藏。

此外，据《本草纲目》中记载，玉器可除胃热、息喘、润心肺、止烦躁、安魂魄、利血脉……科学研究表明，玉含有多种对人体有益的微量元素，用玉器饮茶，具有良好的保健功能。一时，民间又兴起玉石茶具之风。

⊙由盛及衰

金玉茶具在不同的历史时期都曾有过流行，古人因不同背景的茶艺文化，对金玉茶具的褒贬不一。明朝张谦德就曾在所著《茶经》上，把金、银茶具列为次等，而铜、锡茶具则又属下等。金玉茶具对于品茶而言并无显著优势，金银富贵之光与茶艺文化朴素自然、精行简德的人文主义思想也难以契合，没有对茶艺起到太大的推进作用，且由于材质、做工各方面原因，造价昂贵，不利于广泛普及。

明代之后，随着饮茶方式及品茶风气的改变创新，以及瓷器和紫砂器的勃然兴起，金玉茶具的实用价值越来越弱，渐渐为人们所弃用。即使在现代，金玉茶具的收藏价值依旧大于实用价值，更多地作为一种富贵的象征，远不及陶瓷及紫砂茶具生命力之旺盛，在中国茶具文化历史上注定了昙花一现，终究未成主流。

通透夺目的玻璃茶具

⊙古之琉璃

陕西法门寺地宫出土的皇室茶具中，已有琉璃茶盏和茶托，虽然造型还很简单原始，质地也略显浑浊，透明度较低，但却是茶具文化考古的一个重大发现，证明了琉璃茶具至迟始于唐代，是现代玻璃茶具的始祖。

琉璃在古时属稀罕之物，其质通透明亮、色泽光润。唐代著名诗人元稹曾专门赋诗咏之："有色同寒冰，无物隔纤尘。象筵看不见，堪将对玉人。"赞扬了琉璃的流光溢彩、拟珠似玉之美。皇家选其为礼佛供奉所用，足见其价值。宋代，独特的高铅琉璃器具面世；元明时期，民间也出现了规模较大的琉璃工

↑元·莲花玻璃托盏

艺作坊；清代，北京还出现了宫廷琉璃厂……只是古时琉璃身价过高，难以推广民用，产品以工艺收藏品为主，仅有少量茶具出现，一直未能形成较大的琉璃茶具生产规模。

⊙不可取代的优势

近现代，随着玻璃制造工艺的发展，古之珍贵的琉璃终于发展成为今天价廉物美的玻璃，并以自己的特点和优势成为茶具选材中的后起之秀，开始走进寻常百姓家。玻璃质地完全透明，光可鉴人，传热快，不透气。其可塑性极大，制成的茶具形态各异，外观秀美，晶莹剔透，光彩夺目。

用玻璃茶杯泡茶时，茶汤色泽由浅入深的匀染，澄清碧绿；茶叶由团至展的沉浮飘动，如繁花盛放；杯中热气升腾缭绕，如云蒸雾涌，点滴细微的变化皆可通过透明的玻璃杯尽收眼底，将冲泡茶叶的整个过程转化为不尽的视觉动态之美，观之赏心悦目，别有一番情趣。尤其是冲泡各种名茶时，柔嫩细软的茶叶之美态在玻璃杯

中得到淋漓尽致的发挥，不负名优茶种珍贵的品赏价值。

⊙品类众多

玻璃在茶具的制作中使用十分广泛，可以制成茶杯、茶壶、水壶、茶海、茶匙、茶漏、茶盏和茶托以及茶盘等。有玻璃制成的整套功夫茶具，有一壶数杯的茶具组，也有一个茶壶或一只茶杯的单品茶具。

由于玻璃的制作工艺简单且容易操作，玻璃茶具的造型也十分多变，装饰多样，颜色有无色玻璃和各种有色玻璃，种类也有如水晶玻璃、金星玻璃、磨砂玻璃、乳浊玻璃等。可以选择使用的玻璃茶具品类繁多，琳琅满目。

⊙广泛使用

中国古代的琉璃制作技术起步很早。唐代时，中西方文化交流十分频繁，在西方琉璃器不断传入的影响下，国人也开始烧制琉璃茶具，即玻璃茶具。玻璃一般是用含石英的沙子、石灰石、纯碱等混合后，在高温下熔化、成形，再经冷却后制成。

由于原料容易获得，制作成本低，工艺简单，因此玻璃制品的价格十分低廉。又兼玻璃杯泡茶，便于观汤色、赏茶舞，给人们带来品茶之余的视觉享受，因而备受人们的欢迎。从古至今，从南到北，从富贵人家到寻常百姓，玻璃茶具日益得到广泛的使用。

一只玻璃杯，即使是最普通的样式，无色无装饰，因其质地透明，光亮洁净，在日光下璀璨夺目，也会令人爱不释手。

自然粗犷的竹木茶具

⊙流传于民间

竹木茶具起源于民间，其经济实惠的特点最易被劳动大众接受。唐代茶圣陆羽在《茶经》中所列的整套28种茶具，多数也为竹木所制。历史上，茶文化遍及乡野，在广大农村，很多劳动人民都使用廉价的竹碗或木碗喝茶。南方海岛之地，还有人用椰壳加工而成的茶具泡茶，取材更为随意，清新别致，更像一件艺术欣赏品。

⊙扬长避短

竹木茶具发展至今，与其自身的特性息息相关。竹木之材天然而生，来源广泛，便于加工，对茶叶无污染，对人体也无害；因竹木质地的导热性差，茶具保温性能良好，持握也不会烫手；其外形虽简单粗放，却朴实无华，还带有植物特有的清香；竹木生长的纹理情态各异，浑然天成，蕴涵着一种古典的自然风韵，很耐观赏，颇受饮茶人喜爱。但竹木茶具的局限性是易损坏变质，无法长期使用，不能永久保存，也就失去了用于收藏的文物价值。

现代，竹木饮茶器具已经很少被采用，但是竹木之材被用做茶盘，或用于储茶，依旧极为普遍，甚至有的竹木茶具已经被设计成精美的工艺品，广为流传。如福建武夷山出产的乌龙木茶盒，在盒子上绘以山水图案，制作精良，别具一格，实用价值及审美价值兼备，盛名远播。

⊙竹编茶具

清代时，四川一带出现一种竹编茶具，多为成套制作，主要品种有茶壶、茶杯、茶盅、茶托、茶盘等。它既是一种工艺品，又富有实用价值。

内胎和外套是组成竹编茶具的两个部分。内胎多是陶瓷类饮茶器具，外套是用精选的慈竹，经过劈、启、揉、匀等多道工序，制成细如发丝的竹丝，经过烤色、染色，再按茶具内胎的形状和大小编织嵌合，而成为完整如一的茶具。这种茶具，不但能保护内胎，减少损伤，而且泡茶后不易烫手，并且富含艺术欣赏价值。因此，大多数人购置竹编茶具时，注重的是其摆设和收藏。

茶具的选用

⊙因时制宜

　　茶具随着中国茶文化史的发展而演变改进，饮茶方法不断进步，茶具也随之向更为精良实用的方向一点点发展变化。在元代之前，喝茶以煮饮的方式为主，茶具主要有煮水的鼎镬和饮茶的杯盏；唐宋时期陶瓷工艺发达，青白瓷茶盏鼎盛一时；宋代偏好斗茶，黑盏占据主导，至元明又被淘汰；元代之后，煮茶法逐渐被泡茶法所代替，煮水器具主要改为汤瓶，然后用壶来泡茶，茶壶越来越受到人们的重视；紫砂壶在明清两代广受青睐，至今仍多为沿用；清代，盖碗异军突起，在老北京茶馆及四川一带开始盛行。

　　到了近现代，除了紫砂壶、陶瓷茶具、盖碗这些从古代流传下来的茶具之外，玻璃杯作为新兴的茶具，更有助于观察名优细茶的形色，也在茶具市场中占据了一席之地。

⊙地域有别

　　中国地域辽阔，各地种植的茶叶和饮茶习俗不尽相同，对茶具的要求也不一样。长江以北一带，大多爱用有盖瓷杯冲泡花茶，以保持花香；在长江三角洲和华北等地，人们爱好品饮细嫩名优茶，因此特别喜欢用玻璃杯或白瓷杯；在江浙一带，饮茶注重茶叶的滋味和香气，因此喜欢选用紫砂茶具泡茶，或用有盖瓷杯沏茶。

　　福建及广东潮州、汕头一带，习惯用小杯啜乌龙茶，与之相配的茶具是烹茶四宝：潮汕风炉、玉书碨、孟臣罐、若琛瓯。从名字到外形都十分雅致，体现了潮汕功夫茶的独特韵味。

　　四川人饮茶特别钟情盖碗，颇有清代遗风。一方面防止茶叶喝进口，另一方面可以降低茶汤温度，以防烫口，去掉盖可观姿察色，盖上盖又可保温。在海南岛上，当地人就地取材，采用椰壳制成茶具，极富创意。中国边疆少数民族地区，至今多习惯用碗喝茶，古风犹存。

←四川成都的茶馆门前，以盖碗茶为题材的雕塑。

⊙与茶相宜

"壶添品茗情趣，茶增壶艺价值。"好茶与好茶具，恰如红花绿叶，配合好了必能相映生辉。

不同的茶，有不同的冲泡方法，不同的观赏特色，不同的汤色、香气和滋味，不可一概而论，不分种类就随手拿一个茶具应付了事，那样绝对体会不到冲泡和品饮之情趣。

对于绿茶、黄茶、白茶、花茶，采用自然冲泡法，以透明玻璃杯为最佳，可将茶汤色泽及茶叶舒展起伏的姿态一览无余。

对于红茶、黑茶来说，一般采取功夫茶冲泡法，以闻香品味为首要，而观形略次，可以把紫砂壶和瓷杯结合使用。紫砂泡茶，有助于掌握茶叶的泡制时间，紫砂多含气隙，吸收茶汤精华，有助于提升茶的芬芳；瓷杯饮用，有助于衬托深色茶汤，更好地观察茶汤本色，也便于事后清洗。

宜兴紫砂壶

宜兴，唐朝时名阳羡，蒙天地之泽，人杰地灵，地处产茶区，自古以来便是有名的"贡茶"产地，茶风久盛不衰，品茶人对茶具的讲究自然也更高更细。宜兴陶土颜色丰富，土质细腻，对于制陶而言有着得天独厚的优势。

天赐名茶以蕴之，地赐佳陶以用之。先天的优越条件、丰富的自然资源，配以后天的精湛技术，再加上苏杭一带深厚文化传统的熏陶，使得宜兴壶理所当然地成为中国紫砂壶艺的代表。聪明勤恳的宜兴陶工将天赐之紫砂泥运用得淋漓尽致，赋予其强大的艺术生命和文化地位，名匠辈出，名壶屡现，为历代饮茶人所重，被称为"天下第一品"。

历经各个朝代锦上添花的发展后，宜兴壶艺日臻丰富完美，萃取古代茶道经典并发扬光大，将茶文化和陶文化互相交融、互相渗透、互相影响，奠定了宜兴壶在紫砂壶业不可撼动的地位。

壶艺的发展

⊙明朝的兴起

紫砂壶真正的繁荣始于明朝，明清两代的饮茶方式改以冲泡为主，与之相应，带动了茶壶的兴盛，而宜兴紫砂壶以其自身的优势迅速地发展成为茶具主流。这一时期茶书中对紫砂器的专门描述和记载陆续增多，并开始有系统阐述紫砂器的专著问世。明代周高起《阳羡茗壶系》和清代吴骞《阳羡名陶录》为其中之佼佼者，为后世研究紫砂的发展提供了重要佐证。

明清年间，宜兴壶的能工巧匠层出不穷，千变万化，既顺应天地万物之自然灵秀，又加入了自己的创造匠

心独运，在造型、泥色、纹饰、镌铭等方面穷极心智，出现了供春、时大彬、李仲芳、徐友泉等名垂青史的大师。宜兴壶在代代大师手中得以传承发扬，为其后的茶具领军地位打下了坚实的基础。

⊙身世迷离

与近万年的陶瓷历史相比，紫砂

的身世一直有些扑朔迷离，究竟起始于何时仍旧是个悬而未决的问题。现在普遍的说法是上溯至北宋。

相传北宋文学巨匠苏轼嗜茶，且一定要用紫砂壶煮茶，留下了"松风竹炉，提壶相呼"的句子。北宋诗人梅尧臣也曾有诗云："小石冷泉留早味，紫泥新品泛春华。"被后人看做是宋代已有紫砂壶的史料记载。近千年后，宜兴紫砂北宋窑址被发掘，出土了一些北宋紫砂器雏形残片，北宋紫砂史才得以印证。考古文献中所下的结论为："上限不早于北宋中期，盛于南宋，下限延至明代早期。"但综观宋元两代，紫砂文化虽有一定的发展，却始终青涩稚嫩，未能成型。

⊙ 大壶衰，小壶兴

宜兴壶在明代的发展，所经历的一个较大的革新便是器形的由大到小，从早期供春大壶系列，到后来时大彬率先冲破大壶藩篱，改制小壶，这种变化与当时人们的品茶习惯息息相关。

明代，人们对茶道的讲究更上一层楼，花尽心思完善茶具，以求得到品茗的最大享受。泡茶法兴起后，享用茶汤最极致的要求，就是茶汤的"鲜"。用少量的水，配以相当多的茶叶，短暂冲泡后将茶汤倒出，此时的茶汤非常新鲜，色香味俱佳，最宜细品。因此茶艺更

适合使用小壶。壶小则茶香，壶大则不鲜，尤其若是浸泡过久，大壶易使茶香散失，茶汤失味。且小壶外形更加精巧秀丽，与雅致的茶艺文化自然相谐，更受文人名士喜爱。自时大彬始，到李仲芳、惠孟臣，这些紫砂名家皆以小壶见长，工艺细腻，流传至今。

⊙ 几何时尚

宜兴壶按造型分类，可分为几何形体、自然形体和筋纹形体3类。其中几何形壶最为常见，俗称"光货"，为清代制壶名家陈曼生所创造，以几何形体为基本造型及线条装饰，讲求器皿的立面线条和平面形态的变化，以及形体各部位之间的比例关系，可细分为圆形器和方形器两种。

圆器的造型要求"圆、稳、匀、正"，且要柔中寓刚，珠圆玉润之中蕴涵变化，壶体及各部位附件的配置和谐，比例适当，匀称端正，无懈可击。紫砂传统造型掇球壶、仿古壶、井栏壶等，就是紫砂圆器茶壶的典型造型。

↓ 紫砂溪山无尽图四方壶

↑ 孟臣款朱泥水平壶

↑ 紫砂四方壶

方器要求的是线条清晰流畅，又要方中寓圆，刚柔相济，轮廓分明，平稳庄重，以直线、横线为主，曲线、细线为辅，富于变化。无论壶形主体为几方，壶盖方向都能任意变换，转动壶盖时与壶口严丝合缝。紫砂传统造型四方桥顶壶、传炉壶、僧帽壶、雪华壶等，就是紫砂方器茶壶的典型造型。

⊙ "两大绝艺"

除几何形体外，自然形体与筋纹形体是另外两大宜兴壶造型类别。

自然形体俗称"花货"，是一种模拟动植物自然形态的壶形，取材于自然，广泛采撷天地造化，匠心独运。自然形体壶讲究源于自然，高于自然，要抓住自然物体的形态特征和神态本

质，且能用艺术加工的手法表现出其最美的一面。制作手法可分两种模式，一是带有一些浮雕、半浮雕、浅雕装饰，将自然形象变化而来的壶形；一是在圆壶或者方壶的造型上运用雕镂捏塑的手法，将自然形象变化为壶的各部件造型。

筋纹形体也称"筋瓢货"，其特点是将壶体分作若干等份，将生动流畅的筋纹运用其中，形成精确严密的整体结构。筋纹器要求壶的各个部位都必须制成筋纹形，与壶体配合，且随着壶形的变化深浅自如，线条纹理清晰，疏密变化得体，口盖严密吻合，计算精确，配合分毫不差，是艺术与技术的完美统一。

制壶名家

⊙ 供春

供春，一名龚春，明代正德至嘉靖年间（1506～1566）江苏宜兴人，是中国第一代的紫砂壶制作宗师。明朝紫砂评论家周高起的《阳羡茗壶系》中对其有详细记载。供春是四川参政吴颐山的家童，曾侍奉吴颐山在宜兴金沙寺读书。闲暇时，暗中向寺内的僧人学习炼土制壶技术，亦淘细土抟坯，并在成型技术和造型创作上加以提高，日益纯熟精练，后以制壶为业，制品世称"供春壶"。

供春制壶不用工具，只用指头和饭匙捏压其内外，故壶体凸凹，指匙按处指纹明显；因为壶胎要经过长时间无数次的捏按，所以壶半处能够看到节束腹腰的痕迹，这是供春壶两大最显著特征。

供春壶造型新颖精巧，质薄坚实，"栗色暗暗，如古金铁"，价值极高，被誉为"胜于金玉"。供春的伟大之处在于将紫砂壶从一般的茶具工艺品向专业化、艺术化推进，他当之无愧地成为紫砂壶制造史上第一位被载入史册的大师。

⊙时大彬

时大彬，号少山，明嘉靖至万历年间（1573～1648）宜兴紫砂名艺人。其父也为紫砂名工，手艺代代家传，至时大彬时已更为完善，对紫砂陶的泥料配制、茗壶造型、成型技法、文字镌铭等，都有深入研究，善用各色陶土或在陶土中掺杂砂缸土制作，有"沙粗质古肌理匀"的赞语，被推崇为壶艺正宗。时大彬作品不务妍媚，朴雅坚栗，圆拙方巧，妙趣天成。初期模仿供春，以大壶为主，后因其多与著名文人交往，受其审美情趣影响，改制更能点缀文人名士雅致气息的小壶。传世品有圆壶、六方、三足、提梁等壶型，多姿多彩，蔚为壮观。

→明·文徵明·烹茶图

后人认为时大彬的最大功绩在于，自他开始，制作紫砂茶壶的一整套传统技法已大体上建立，并确立了紫砂制作的独特工艺——打身筒和镶身筒成型法，传承后世，继供春之后为紫砂制造业奠定了良好的、坚实的基础。

⊙李仲芳

李仲芳，明代万历至崇祯年间（1573～1644）宜兴的制壶名家，师从时大彬学艺，称其门下第一高徒。其为人恃才傲物，狂放不羁，所制器物精细文巧，充分发挥了时大彬壶之风，一脱尘俗，优雅悦目，流畅灵活。今世流传的时大彬壶，往往有李仲芳的仿制品，因被时大彬赏识而自署款识，时人有"李大瓶，时大名"之说，这是紫砂史上"代工"的最早记载。制品中尤以一种小圆壶极为精巧，不在其师时大彬之下。

⊙徐友泉

徐友泉，名士衡，明代万历年间（1573～1620）宜兴人士，在造型艺术方面极有天赋，后自成一派，与时大彬、李仲芳三人齐名为当时紫砂名手，有"壶家妙手称三大"之誉。徐友泉手工精细，所制之壶壶盖与壶口能够密不透风，式样变化多端，别具特色，尤其擅长将仿古青铜器之形制做成紫砂壶，制品古拙庄重，质朴浑厚。

徐友泉制壶最大的特点就是极尽工巧，追求形色兼备，被赞为"综古今，极变化，技近乎道，集斯艺之成"，备受后人推崇。他在紫砂壶造型样式和泥色品种方面的诸多发明创造，对紫砂工艺的发展起到重要的推动作用。

⊙欧正春

欧正春，号子明，明代万历年间（1573～1620）陶器名师，也是时大彬的弟子。在宜山丁山镇创制陶器，世称"欧窑"。所造陶器，形式大半仿"钧窑"，故又称"宜均"。制品虽出宜兴，然与阳羡名陶一系，微有区别，与清代紫砂挂釉各器亦微有不同。据《阳羡茗壶系》记载，其作品"多规花卉果物"，式度精妍，玲珑精巧，工疑刻画。

⊙"二惠"

惠孟臣，明末（约1598～1684）制壶名家；惠逸公，是清朝雍正乾隆时期的著名紫砂工匠，传说为惠孟臣后人，二人在紫砂工艺史上并称"二惠"。惠孟臣善于配制多种调砂泥，壶式有圆有扁，所制茗壶大者浑朴，小者精妙，尤以擅制小壶驰名于世，后世称为"孟臣壶"。孟臣壶工艺手法极洗练，富节奏感，壶体光泽莹润，胎薄轻巧，线条圆转流畅，是孟臣壶突出的风格特征。

相比先人，惠逸公之作品虽浑朴不足，却工巧有余，其制品形式大小与诸色泥质俱备，泥色最奇，小壶亦有佳者，莫若手造大壶之古朴可爱，在当时备受推崇。

⊙陈鸣远

陈鸣远，供春、时大彬之后最有成就的紫砂大师，是清代康熙年间（1622～1755）宜兴紫砂名艺人。他上承明代精粹，下开清代格局，技艺精湛，雕镂兼长，技术全面且纯熟。在壶形设计上，陈鸣远模拟自然形态塑成壶身，作品千姿百态，生动活泼，表达了艺术家对自然生活的热爱。

他还开创了壶体镌刻诗铭之风，款式健雅，颇具唐宋遗风，带有高雅脱俗的文人情趣，率先把紫砂壶印款、

↑清·鸣远紫砂壶

↑清·陈曼生铭紫砂壶

壶铭提升到了文学高度，开创了一代壶艺文丽工巧的风格。他无穷的创造力为紫砂工艺开拓了更为宽阔的发展道路，作品名孚中外，在当时有"海外竞求鸣远碟"之说，为紫砂陶艺发展建立了卓越功勋。

⊙陈曼生

陈曼生（1768～1822），清代紫砂名家，不但壶艺全面，在文学、书画、篆刻方面的造诣也极高，并将其融入紫砂设计，成为中国历史上以壶寄情之第一文人。陈曼生制壶注意"辨别砂质"，即根据原料不同加以设计；其次，他"创制新样，手绘十八式"，根据自己的理念，绘制、设计了全新的砂壶造型，取材广泛，丰富多彩。

他还建立了一种全新的壶艺创作模式，与文人合作，让文人参与辨别砂质、设计壶样、监制壶坯、篆刻壶铭，全方位、真正意义上地参与到制壶过程中来，强强联手，珠联璧合，使紫砂壶成为受人推崇的富有艺术感染力的文化载体。

↑清·邵友兰、邵二泉 高筒壶

↑清·黄玉麟鱼化龙壶

↑朱可心紫砂松竹梅茶壶

⊙邵二泉

邵二泉，宜兴人，清嘉庆道光年间著名的紫砂壶艺人。善制壶，尤其善刻壶铭。陈曼生、邵景南等名家制壶，多由他刻铭，刻壶署"二泉"二字。所刻铭文规整端庄、点划巧妙，与名家制壶相配，可谓珠联璧合，增色不少，因而得到很多紫砂壶收藏者的青睐。

邵二泉所制紫砂壶金刀切玉，清峻劲拔，神采逼人，受到当时文人雅士的喜爱，有很大影响。

⊙黄玉麟

黄玉麟，清末人士，天赋奇才，是晚清成就最高的紫砂大师。他将古代铜器、陶器的艺术特色引入紫砂壶的创作中，其制品被称作玉麟壶，仿古气息浓厚。他的作品选泥讲究，所练细泥温润如玉，壶面光洁圆润，形状大气稳重，线条多变却不失明快和谐，精巧却不失古意，灵妙天然。传说其"每制一壶，必精心构选，积日月而成，非其重价弗予，虽屡空而不改其度"。

⊙朱可心

朱可心，原名朱凯长，江苏宜兴蜀山人，现代紫砂壶工艺大师。其艺术生涯跨越新旧两个社会。朱可心艺术造诣深，设计能力强，善于从自然界汲取创作灵感和题材。作品风格浑厚淳朴，法度合宜，技艺娴熟，洋溢着浓厚的时代气息。他首创一种壶式、多种装饰的手法，深受中外人士的欢迎。他的作品松鼠葡萄壶、松竹梅三友壶被选入"中国工艺美术巡回展"出国展出，并获一等奖；他精心制作的云龙鼎和竹节鼎被选送参加美国芝加哥博览会，荣获"特级优奖"。

朱老极其注重培育紫砂界的多技艺人才，晚年桃李遍天下，有建树者甚多，带动了整个紫砂工业技艺的普遍提高。他被誉为新中国紫砂业的"一代宗师"。

⊙顾景舟

顾景舟，号壶叟，江苏人，中国工艺美术大师，曾任宜兴紫砂工艺厂紫砂研究所名誉所长。20岁时，他已凭借深厚的文学内涵及严谨的制壶工艺一举成名，在宜兴紫砂工艺界中崭露头角。他对紫砂历史的研究、传器的鉴赏与断代方面有独到之处，并发表多篇论著。在技艺上精通各式壶艺制作流程，且善创新仿古，所制之器以茗壶为主，以几何形壶奠定其个人风格。其作品造型古朴，仪态纷呈，形器雄健严谨，线条流畅和谐，大雅而深意无穷，散发出浓郁的东方艺术特色，堪称"集紫砂之大成，刷一代纤巧靡繁之风"。

紫砂壶的制作

⊙紫砂泥的制备

紫砂泥是大自然赐予宜兴的独特瑰宝。宜兴壶制作的成功与否，泥料的纯正和配比是第一个决定性关口。如果用了低质泥料，再高明的工匠也无法制出好壶。紫砂泥原料的加工处理大致要经过：天然风化—清洗—泥料粉碎—筛选除杂—级别选配—炼制—阴凉处陈腐备用等一系列流程。好壶的用泥、选料精细，加工繁复，陈腐时间长，泥色湿润凝重，无须再加工，壶色呈自然的光润古朴。

为了丰富紫砂陶的外观色泽，满足工艺变化和创作设计的需要，工匠们通过把几种泥料混合配比，或在泥料中加入金属氧化物着色剂，使之产生非同寻常的应用效果，在视觉上更加光彩夺目。

⊙成型工艺

宜兴壶的成型方法有手工成型、注浆成型、机制成型和印坯成型等，其中手工成型是最传统的制作方法。手工成型法又分为打身筒和镶身筒两类。打身筒成型适用于圆形壶，做法为先将泥料打切成长方形泥条，镶上圆底线片，围成圆筒形，用拍子拍成空心壶身，再镶上上口线片，粘接上壶嘴、把，并加制壶盖。镶身筒法适

↑明·僧帽紫砂壶

用于方形壶，是按设计的意图配成样板，把预先打成的泥条依样切裁成泥片，然后用脂泥镶合而成。

紫砂壶成型使用的通用工具，主要有泥凳、木搭子、转盘、木拍子、竹拍子、矩车、鳑鲏刀、尖刀、明针等。此外，根据不同款式和工艺要求，还需准备许多特制的精小工具。

⊙精加工

手工造型需要在壶坯基础上细致加工，其关键就在一个"精"字。脱空成型和坯件表面的精加工是指用竹片、明针、刀具及用这些材质制作的其他专用工具，对已接上颈、脚、嘴、把手的壶口、身、盖的表面，进行精细的括平、修整。这样能将壶坯表面塑造得更加光润平滑，使坯体外表形成一层较细致的表皮层，泥料颗粒之间相对疏松，呈现一定的气孔率，烧成后制品表面既有粗细颗粒形成的凹凸手感，又有莹润光泽的质感。器形结构严谨，线条纹理愈发明晰。

由此可见，一把好壶的制作，先要选好泥，然后经由好手艺相配。壶为

↑民国·裴石民款绿泥牛盖莲子壶

手作，实为心塑。只有精巧的手法、超群的技艺、心与作品的融会贯通，才能充分表达紫砂泥的淳朴、古雅之美。

⊙烧制

烧制是紫砂壶泥料蜕变为紫砂成品壶的一个很重要的环节。紫砂壶是在高氧高温状况下烧制而成，一般采用平焰火接触，温度在1100℃～1200℃之间。温度与窑的火候十分关键，需要精确拿捏，"过火则老，老不美观；欠火则稚，稚沙土气"。火大了会变形变色，火候不到则会缺乏神采，得不到品茶的效果。

窑火燃烧时，随着温度升高，陶土中含铁量的改变，泥料的颜色也呈现出五彩斑斓的变化。所以，若掌握精湛的烧制技术，就可以获得自己所需要的紫砂壶色泽。北宋时，这一操作工艺被称为"火的艺术"。经过选泥、加工、烧制三道最主要工序，一把珍品宜兴紫砂壶终于得以修成正果。

茶壶的造型

⊙壶盖造型的不同

紫砂壶里外均不施釉，故口盖可与壶体合在一起入窑烧成，以达到口盖直紧通转、防尘、保温保香的要求和作用，主要形式有压盖、嵌盖、截盖3种。

压盖，也称"完盖"，是将壶盖覆压于壶口之上的样式，在其边缘处有方

线和圆线两种形式，均与壶口相呼应。几个部位及转折过渡用脂泥镶街，润合贴切、浑然天成。有的壶盖会稍大于壶口外径，俗称"天压地"。嵌盖是壶盖嵌于壶口内的样式，并与壶身融于一体，有平嵌盖与虚嵌盖之分，能达到"缝如纸、发之隙"者属上品。截盖是紫砂壶特有的一种壶盖样式，因以壶的整体截取一段做壶盖而得名，特点是简洁、流畅、明快、整体感强。制成后盖与口不仅大小合适，而且外轮廓线互相吻接，严丝合缝，故技术要求较高。

⊙壶把造型的不同

壶把是为了壶的美观及便于把握而设置，置于壶肩至壶腹下端，与壶嘴位置对称。二者组装得当，均衡协调，即可保持壶的重心端正。形式有端把、横把、提梁三种。

一般紫砂壶都为端把，亦称"圈把"，安装在壶体上嘴的相对位置。端把使用方便，变化丰富，具端庄、稳重的效果。

横把源于沙锅的柄，应用较少，以圆形筒居多，其在壶体的位置与嘴成90°直角。

提梁安装于壶的上方，是效仿铜器而来的造型，颇具装饰效果，又方便于运输。提梁大小应与壶体协调，高度以手提时不碰到壶盖的钮为准。可分硬提梁和软提梁两种。其中软提梁多为金属或藤所制。

⊙壶底造型的不同

紫砂壶底足也是工艺非常讲究的造型部分。底足的尺度和形式处理，直接影响到视觉的美观及壶的平稳度。壶底大致可分为一捺底、加底（足圈）、钉足三种类型。粘接制作方式有明接、暗接两种。直线条的方形壶适合用明接，珠圆玉润的造型则宜用暗接处理。

一捺底是紫砂壶特有的样式，因为紫砂壶不施釉，烧成时无粘连的问题，制作省时省力。用一捺底处理圆形壶，显得干净利落，简洁灵巧。

加底俗称"挖足"，是指在壶身成型时加一道足圈，并用脂泥复合嵌接，所以称为加底，亦称"挖足"，类似陶瓷器的圈足。

钉足源于铜器鼎足，一般用于口小底大的造型上，用钉足支架壶体，平稳且不呆板，活泼中透出灵气。圆器一般用三支钉足，方器则为四支钉足。为保壶身平稳，便于应用，钉足不宜太高。

茶壶的选购

⊙ 精致外观

在样式繁多的宜兴壶中，挑选一把自己喜欢的正品好壶亦非易事。需要仔细比较和鉴别。选壶时，最直接的第一感官接触当属视觉。一把精致美观的好壶必定会率先夺人眼光，备受青睐。茶壶的外观形状、纹理装饰、泥料色泽，都是影响视觉感受的重要因素，而外观又直接影响到茶壶内在神韵。好壶不但外表养眼，还要神采飞扬。一般来讲，壶的配件应与壶身整体比例协调，点、线、面的过渡转折要清楚流畅。造型古朴大方、素雅端庄的茶壶，有脱俗之美，更加契合朴素自然的茶道文化。

正所谓各花入各眼，茶壶的外形是否美观并无一定之规，只要与自己的审美情趣、心理需求相合即可，不必一味追求流行款式。只有看上去舒服满意，才能保证使用起来得心应手，升华品茶之感受，在喝茶时得以陶冶性情，启迪心灵。

⊙ 质地

紫砂原料的质地，对于紫砂壶质量的影响也十分重大。好的紫砂壶，胎骨要坚，色泽滑润，壶面为砂质感，而绝非泥沙感。除眼感手感外，因壶体硬度不同，使得壶声也不尽相同，所以听音也是辨质的一个有效方法。选壶时，以掌托壶，另一手拨动壶盖

↓紫砂壶可用、可赏、可玩、可收藏升值，实乃不可多得。

轻敲壶口，以声音铿锵轻扬、清脆悦耳者为佳。若声音浑浊，说明壶的导热性有所欠缺；若音高刺耳，则是导热过快。

宜兴陶土在质地上拥有得天独厚的优势——内含石英成分。故将宜兴壶映照于灯光下，可看到细微的金光点点，这是其他地方的陶土所不具备的特性。

⊙密合度

紫砂壶的制作工艺是否精密完美，可从几个方面仔细观察。首先，壶盖与壶身必须紧密吻合，即茶壶的密合度一定要高，才能保证茶香凝聚，味道不散，倾壶倒茶时也无壶盖脱落之忧。

具体操作测定时，可将茶壶注满水，手指紧压盖上气孔，此时倾壶倒水，若滴水不流，则表明精密度极高。也可用手压住茶壶壶嘴，颠倒壶身，若壶盖不落，那一定也是密合度很高的好壶。

⊙口、嘴一线

一把宜兴壶是由多部分组合而成，而各部件的配合是否协调，比例是否匀称，衔接是否流畅自然，是制作工艺的重要衡量标准。三个最关键要素：壶嘴、壶纽、壶把，三点必须成一条直线；上下壶把要在同一垂直线。这是许多收藏家尤其注重的一点，与中国文化讲求的"大中至正"一脉相承。

潮州功夫茶中有名的"孟臣罐三

↑ "马上封侯"紫砂壶

山齐"，即是说紫砂名匠惠孟臣所制的小茶壶，其罐口、壶嘴、把手成一线，利于冲泡，为名家传世之作。

⊙出水流畅

紫砂壶的实用性很强，除了外形美之外，一定还要注意功能之美，才能保证壶的使用价值充分发挥。壶嘴出水顺畅，断水果断，是紫砂壶功能美的一个重要体现方面。好壶出水时刚劲有力，水束弧线流畅圆润。断水时，即倾即止，干净利落，不飞溅外流。倾壶之后，壶内的水能保证完全倒出，滴水不存，即为壶中上品。

⊙舒适在握

好的紫砂壶，应在使用时手感舒适合意，便于把握，提拿方便。壶的手感与壶的重心设计有很大关系，壶身与壶把和壶嘴配合精准，壶把的力点接近壶身盛水时的重心，可保持壶的结构均衡，重心不偏。选壶时，在壶中倒入约3/4的水，用手平提茶壶，缓缓倒水，如感觉轻松自如，则表明壶身稳定，重心适当；若是需刻意用力紧握壶把才能平稳倒水，则说明壶的重心位置不对。

壶的大小也会影响把玩。壶身不宜过大过沉，一般容量在200～350毫升，足够几人对饮，提壶只需一手即可，故称"一手壶"。

⊙鉴别古壶

流传至今的古代宜兴壶，因其年代久远，数量珍稀，文化内涵丰富，往往身价不菲，具有极高的研究收藏价值。但随之而来的赝品也越来越多，正确辨识古壶成了紫砂壶收藏者的当务之急，必须从时代背景、文化特色、造型特点、装饰风格、作者习惯等多方面综合分析，绝不能单从外观识别。

从工艺来看，明代壶多为素身无彩，无装饰字画，如壶身上有外观装饰，则一定是清代以后的作品；从壶内通壶嘴的出水孔来看，民国之前的壶，无论大小，都是单一孔制，民国之后，大中型壶为防茶叶堵塞，改为多孔网状；从壶身来看，长期使用过

的旧壶，外表会透出一层自然的光泽，亦称为"包浆"，是久经茶叶滋养和人手把玩而得，古壶的包浆深沉，滑润爽适，且越擦越亮；从壶底落款来看，明清制壶家重视甲子年表，全部用六十甲子表示年份，这一点往往易被忽视，对于古壶鉴别却非常有效。

新壶的修整

⊙清洁

拿到一把新壶之后，切不可忙着马上用来泡茶，俗话说磨刀不误砍柴工，一定要先耐心给新壶"洗心革面"，行家称之为"开壶"，才能在将来的使用过程中充分享受品茶之乐趣。

新壶从烧制到成为商品出售的过程中，难免会沾上一些泥沙、尘土、铝粉、包装屑等异物，一定要彻底清除，以保证入口的茶汤干净。因为窑烧的缘故，出炉后的新壶带着浓重的火气、土气及其他杂味，若直接泡茶会严重影响茶汤香气，破坏品茗时轻松愉快的好心情。

新壶的表面往往还被打有一层薄蜡，本意是增加商品的美观度，但这层油性物质不但堵塞了壶身气孔，还会形成一层致密的保护膜，影响壶的正常"呼吸"，使壶难以与茶汤交融吸

收，如不先行去除，则之后的养壶过程也会事倍功半，降低壶的使用效果，缩减壶的寿命。

⊙水煮法

新壶使用之前，传统的清洁方法为水煮法，其步骤细致讲究，如同给新壶举行一场隆重的入水典礼。取一口绝对干净，无异味、无油污的锅，在锅内注入能没过茶壶约 2 厘米以上的水，将新壶的壶身与壶盖分开，放入其中，用文火慢慢加热。此时要小心看护，防止壶身与壶盖及锅壁互相撞击破损。注意水量一直要保持没过壶身，否则易使茶壶烧裂。半个小时后关火，将壶在水中再浸泡两个小时后取出，用温水冲洗掉壶身内外残留的水渍及异物，放在干燥、通风、清新的环境里自然晾干。

这时壶的气孔均已充分打开，新壶如同从保护膜下破土而出，完全苏醒，异味、杂质及壶身薄蜡都能得到彻底清除，为日后有效的养壶过程打下良好基础。

⊙茶汁浸润

水煮法可以用清水烹煮新壶，也可选择加入茶叶，用茶汤浸泡新壶，让新壶早识茶味。具体操作步骤与清水煮壶大致相同，只是在新壶入水，水沸之后，放入一把耐煮的重焙火茶叶，约 3 分钟后将茶叶捞出，用文火继续慢熬约半个小时后关火。将壶在茶汤中再浸泡两小时左右后取出，用温水洗净残留的茶汤茶渣，等待壶自然风干。

清水熬煮与茶汤浸润的优劣并无定论，只凭个人习惯选择。二者的目的都是将壶的气孔中残留的粉末逼出来，全面清理壶的杂质和杂味，使新

供春学制壶

供春壶是明代一位叫做供春的人制作的一种珍贵茶壶，现收藏在中国国家博物馆中。供春是明代弘治、正德年间人，时为宜兴吴颐山的家童。供春制壶可谓妙手偶得：金沙寺里有位高僧，喜欢结交制壶人，掌握了这门手艺。在主人吴颐山借寺读书之时，生性灵慧的供春暗暗偷学了制壶。一天，供春用和尚洗手水缸里沉淀的紫砂泥，偷捏了一把茶壶。这把壶不仅深受和尚赏识，而且轰动了窑场。后来，"供春壶"便成了稀世珍宝。

壶能从商品马上变为用品，并为日后有效的养壶过程打下良好基础。

⊙刷拭法

如嫌水煮法烦琐费力，则可以采用较为简单的刷拭法清洁新壶。分三次向壶中注满冷水——温水——沸水，随着水温渐次增加，壶身热胀冷缩，保持高温状态，气孔完全张开，排出夹杂的细小粉尘。取一只小牙刷，先在热水中浸泡使其刷毛软化，然后蘸上牙膏把紫砂壶里里外外彻底刷洗，之后再用沸水把壶身彻底冲淋，这样即可去除壶的异味及蜡油。

将茶叶放入冲淋干净的壶中，以沸水冲泡，盖上盖子，用沸水再次冲淋壶身，让壶充分吸收茶香，以茶暖壶。静置一段时间后，将茶汤与茶叶倒掉，用热水洗刷干净，这时的紫砂壶已经可以用来泡茶了。刷拭法操作方便，过程简单，但不如水煮法清洁彻底。

⊙手工精修

一些中档水平之下的商品壶，多少会存在一些无关大局的瑕疵，算不上严重问题，可以根据自己的使用习惯，自行动手解决，过程并不复杂，只需锉刀、砂纸等简单工具即可。

如气孔被杂质堵塞住，会影响出水顺畅，可用锉刀慢慢将气孔锉大锉平，或者用钢针、尖钻小心将其中的杂质剔除；又如壶身内壁或流孔接续处易残存泥屑，会卡住较小的茶叶片，形成藏污纳垢的死角，此时可用锉刀及砂纸，细加修整磨拭，以免造成日后使用的困扰。

壶盖与壶口配合生涩时，可在壶盖边沿处涂些肥皂，再抹上湿润的金刚砂，托住壶底，手把住气孔细细研磨。修整之后，注满水将壶倒置，用手按住出水孔，可保盖子不掉落，使口盖密合度提高。

紫砂壶的日常使用

⊙清洗

每次泡完茶后，将茶渣倒掉，用热水将壶身内外的剩余茶汤冲刷干净，不留残汤，以保持内外清洁，合乎饮用卫生。切不可用化学清洗剂刷洗紫砂壶，否则不但会散掉壶内已经积聚的茶味，还会使壶身表面的光泽变质。

茶壶清洗干净后，将壶盖打开，置于干爽通风处，避免灰尘油烟影响壶面的润泽感，待茶壶完全干燥后再妥善收存，不可积存湿气。长此以往，滋养出来的壶才能保持紫砂最自然古朴的光泽。

⊙润壶

相对于使用前的开壶，养壶的过程更为漫长，与壶的每一次使用密切相伴，这需要有极大的耐心，持之以恒，并且采用正确的方式方法。日常的清洁工作依旧必不可少。泡茶之前，先用热水浇壶身外壁，然后再往壶里冲水，也就是常说的"润壶"，兼具去味、消毒、暖壶三种功效。

泡茶次数越多，壶吸收的茶汁就越多，壶与茶相得益彰，以壶载茶，以茶润壶。土胎吸收到某一程度，就会透到壶表，发出润泽如玉的光芒。

⊙擦拭

泡茶时，因水温极高，茶壶本身的毛细孔会略微扩张，水汽会呈现在茶壶表面。此时应趁热擦拭壶身。用一条干净湿巾，分别在第一泡、第二泡……的浸泡时间内，分几次把整个壶体擦遍，即可利用热水的温度，使壶身变得更加亮润。但千万不可用含硬颗粒的材料擦拭，这样很容易伤及茶壶表面，留下划痕，破坏紫砂质感。

平时清洁后，还要注意用干净毛巾擦干壶身，不留过多水分，更不能将茶汤残留在茶壶表面，否则久而久之，壶面上会留下不均匀色泽，且堆满茶垢。此时再擦拭，就会有一层浮光，使得紫砂壶失去了本身的"黯然"之色，与紫砂的内敛气质相悖。

⊙与壶休息

壶的使用也和人的劳动一样，过于频繁沉重会产生劳累感，不能充分休养生息，也就无法恢复本来的神气。

↓久放不用的茶壶再次使用时，也可用清水轻轻刷拭，达到彻底清洁的效果。

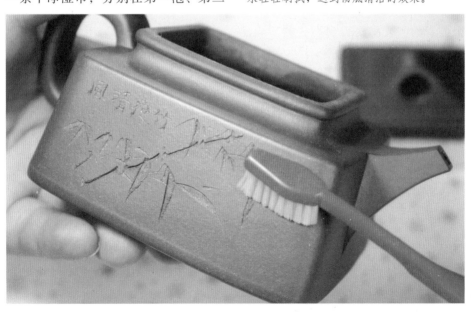

↑比较而言，瓷器茶具比紫砂茶具更容易清洁保养，存放方便。

长此恶性循环，疲惫不堪，性能减弱，加速老化。

壶冲泡一定的次数之后，要给予一定的休息时间。一般要彻底清洁干净，然后晾干，放置3～5天，让整个壶身的气孔结构得到彻底的干燥，再使用时才能充分吸收茶汁，得到滋养润泽。

⊙壶茶对应

茶的类型多种多样，特性、味道不尽相同。有的茶香袭人，有的韵味低沉，各有所长。品茶时，最好多备几把茶壶，喝某一种茶叶时只用指定的一个壶，喝其他类型的茶再换另外一把，每把壶专茶专用，一壶不事二茶，可使壶内聚敛的香气统一，避免串味。尽量避免所有的茶叶都用同一茶壶，那样必将使所有的茶香混淆，任何原本的滋味都难以品出。

⊙初识养壶

有许多茶人，因为爱茶而爱上了茶壶，也有很多壶艺爱好者，因为爱壶而去爱茶，可见紫砂壶的魅力之大。养壶是一门学问，是需要恒心、毅力、时间、精力去完成的一个历程。养出一把漂亮的壶，其喜悦和满足如同将一棵细小树苗培育成参天大树，令人兴奋。

新壶烧成后，由于胎骨火气重，紫砂间的微孔结构松，壶性脆，容易受热胀冷缩的影响，通过"养"才能改变此种性格。要想养出一把好壶，在购买时就要仔细挑选，辨明土胎的优劣。养壶存在的意义就在于紫砂泥的特殊性，上等泥料是养壶成功的秘诀，劣等泥料则会让人徒劳无功。

新买来的茶壶，如前所述，需要花费一番工夫进行清洗和修整，养壶在此基础之上方能开始。在养壶的过程中，要时刻保持壶身的洁净，不能沾污积垢，干净通透的紫砂才能更好地吸附茶油。

⊙ 品茗择器

不同种类的茶选用不同质地的茶具，这是很多人都了解的。具体对紫砂壶而言，除了具备美观实用的基本条件外，不同的茶应选用什么样的壶也有一些窍门和讲究。通过轻扣茶壶发出的声音可以了解此壶适合冲泡的茶叶。如果茶壶发出的声音频率高，表明烧制该茶壶时的炉温高，适合冲泡清香的茶叶，有利于茶汤的清淡、鲜爽；反之，茶壶发出的声音频率低，即烧制茶壶的温度较低，适合冲泡浓香的茶叶，这样的壶泡出的茶汤醇和甘滑。

此外，茶壶的大小和形状对茶汤的味道也有很大的影响。通常情况下，圆形、大肚的茶壶利于茶叶的舒展和茶香的挥发；小壶则能聚敛茶叶的特性，容易把握茶汤的滋味。

⊙ 使用禁忌

壶的清洁过程中最忌油污，绝对不可使紫砂壶沾染油污，以保证壶的结构通透。若不小心沾染了则要马上清洗，否则干胎吸收不到茶水，会留下油痕。

有人认为泡茶之后，留下残汤甚至茶渣可以养壶，此种做法绝不可取。残汤残渣闷在壶中，易使茶壶吸收陈汤之气，妨碍此后新茶香气的纯正。

典藏中国

Diancang Zhongguo